CB006053

AGATHA CHRISTIE

AVENTURA EM BAGDÁ

Um caso de Victoria Jones

TRADUÇÃO
Ary Blaustein

Rio de Janeiro, 2024

Título original: *They Came to Baghdad*

Revisão: *Marcela Isensee*
Capa: *Felipe Rosa*
Diagramação: *Abreu's System*

Dados Internacionais de Catalogação na Publicação (CIP)
(Câmara Brasileira do Livro, SP, Brasil)

Christie, Agatha, 1890-1976
Aventura em Bagdá / Agatha Christie; tradução Ary Blaustein. – 1. ed. – Duque de Caxias, RJ: HarperCollins Brasil, 2021.

Título original: They Came to Baghdad
ISBN 978-65-5511-137-8

1. Ficção de suspense 2. Ficção inglesa I. Título.

21-60727 CDD-823

Rua da Quitanda, 86, sala 601A — Centro
Rio de Janeiro, RJ — cep 20091-005
Tel.: (21) 3175-1030
www.harpercollins.com.br

Printed in China

Para os meus amigos de Bagdá.

Capítulo I

I

O capitão Crosbie saiu do banco com o ar de quem tinha descontado um cheque e descoberto que havia um pouquinho mais em sua conta do que pensara.

O capitão Crosbie frequentemente parecia contente consigo mesmo. Era essa espécie de homem. De aparência, era baixo e atarracado, com um rosto extremamente vermelho e um bigode militar de escovinha. Empertigava-se um pouco ao andar. Suas roupas eram talvez um pouco berrantes demais, e ele gostava de uma boa história. Era popular entre outros homens. Um homem alegre, comum, mas gentil, solteiro. Nada notável a seu respeito. Há montes de Crosbie no Oriente.

A rua de onde o capitão Crosbie saiu era chamada rua dos Bancos, pela excelente razão de que a maioria dos bancos da cidade estava localizada nela. O interior do banco estava fresco, escuro e bastante bolorento. O ruído predominante era o de várias máquinas de escrever crepitando ao fundo.

Fora, na rua dos Bancos, havia sol e poeira redemoinhando, e os ruídos eram terríveis e variados. Havia o persistente barulho de buzinas de automóvel, os gritos dos vendedores de diversas espécies de mercadorias. Havia disputas acirradas entre pequenos grupos de pessoas que pareciam a ponto de matar-se uns aos outros, mas na realidade eram amigos íntimos; homens, meninos e meninas estavam vendendo toda a sorte de árvores, doces, laranjas e bananas, toalhas de banho, pentes, lâminas de barbear e outras mercadorias sortidas, carregadas rapidamente pelas ruas em tabuleiros. Havia também um ruído perpétuo e perenemente renovado de pigarros e cusparadas e, além de tudo isso, o tênue lamento melancólico de homens conduzindo asnos e cavalos pela torrente de carros e pedestres, gritando: "*Balek-Balek!*"

Eram onze horas da manhã na cidade de Bagdá.

O capitão Crosbie parou um menino que passava correndo rapidamente com um molho de jornais debaixo do braço e comprou um. Dobrou a esquina da rua dos Bancos e chegou à rua Rashid, a principal de Bagdá, que se estende por cerca de seis quilômetros, paralela ao rio Tigre.

O capitão Crosbie olhou as manchetes do jornal, caminhou uns duzentos metros e, em seguida, dobrou para uma aleiazinha que dava para um grande *khan*, ou pátio. Do outro lado do mesmo, empurrou uma porta, abrindo-a, e encontrou-se num escritório.

Um empregado iraquiano bem-arrumado deixou a sua máquina de escrever e veio ao encontro do capitão com um sorriso de boas-vindas.

— Bom dia, capitão Crosbie. Em que lhe posso ser útil?

— O sr. Dakin está na sua sala? Ótimo, vou entrar.

Passou por uma porta, subiu uma escada de degraus bem inclinados e seguiu por uma passagem bastante suja. Bateu à porta ao fundo, e uma voz disse: "Entre!"

Era uma sala extremamente alta e vazia. Havia uma estufa a óleo com um pires cheio d'água colocado em cima, um grande assento almofadado, uma pequenina mesa de café a sua frente e uma escrivaninha esmolambada. A luz elétrica estava acesa, e a luz do dia cuidadosamente excluída. Atrás da escrivaninha esmolambada, estava sentado um homem também esmolambado de rosto cansado e indeciso, o rosto de alguém que não tinha progredido no mundo, sabia disso e não mais se preocupava.

Os dois homens, o alegre e autoconfiante Crosbie, e o melancólico e fatigado Dakin, olharam um para o outro.

Dakin falou:

— Olá, Crosbie. Acaba de chegar de Kirkuk?

O outro assentiu com a cabeça. Fechou a porta cuidadosamente atrás de si. Era uma porta de aspecto descuidado, mal pintada, mas tinha uma qualidade inesperada: ajustava-se bem à parede, sem frestas por cima ou por baixo.

Era, na realidade, à prova de som.

Com o fechar da porta, as personalidades de ambos os homens mudaram perceptivelmente. O capitão Crosbie tornou-se menos agressivo e determinado. Os ombros do sr. Dakin ficaram menos caídos e seus modos, menos hesitantes. Se alguém tivesse estado na sala ouvindo, poderia ter ficado surpreso ao constatar que Dakin era o homem com autoridade.

— Alguma novidade? — perguntou Crosbie.

— Sim — suspirou Dakin. Diante dele havia um papel que vinha tentando descodificar. Rabiscou mais duas letras e disse:

— Acontecerá em Bagdá.

Em seguida, riscou um fósforo, tocou fogo no papel e observou-o queimar. Quando tinha sido reduzido a cinzas, soprou suavemente. As cinzas ergueram-se e se dispersaram.

— Sim — comentou. — Decidiram que seria Bagdá. Dia 20 do mês que vem. Temos que "guardar o maior segredo".

— Estiveram comentando isso no *suq*... durante quatro dias — disse Crosbie secamente.

O homem alto sorriu seu sorriso cansado.

— Segredo máximo! Não há segredos máximos no Oriente, não é mesmo, Crosbie?

— Não, senhor. Se quer a minha opinião, não há segredos máximos em lugar algum. Durante a guerra, notei frequentemente que um barbeiro de Londres sabia mais do que o Alto Comando.

— Não tem muita importância nesse caso. Se o encontro deve se realizar em Bagdá, em breve terá que ser tornado público. E depois a farra... a nossa farrinha particular... começa.

— Acha mesmo? — perguntou Crosbie ceticamente. — O Nosso Tio (assim se referia Crosbie desrespeitosamente ao chefe de uma grande potência europeia) pretende realmente vir?

— Acho que desta vez sim, Crosbie — disse Dakin pensativamente. — Acho que sim. E, se o encontro se realizar... se for realizado sem qualquer embaraço... bem, pode ser a salvação de tudo. Se ao menos se pudesse chegar a qualquer espécie de entendimento... — e interrompeu-se.

Crosbie ainda parecia ligeiramente cético.

— Existe... desculpe-me, senhor... existe a *possibilidade* de um entendimento de qualquer espécie?

— No sentido que você quer dizer, Crosbie, provavelmente *não*! Se fosse apenas o encontro de dois homens que representam ideologias completamente diferentes, provavelmente a coisa toda terminaria como de costume... em suspeita e má compreensão aumentadas. Mas há um terceiro elemento. Se aquela história fantástica de Carmichael é verdadeira...

Interrompeu-se de novo.

— Mas certamente, senhor, não pode ser verdadeira. É fantástica *demais*!

O outro ficou em silêncio por alguns momentos. Estava vendo, bem vividamente, um rosto sério, preocupado; escutando uma voz calma, indiferente, dizendo coisas fantásticas e inacreditáveis. Estava dizendo a si mesmo, como então o tinha feito:

— Ou o meu melhor homem, o mais digno de confiança, ficou louco, ou então essa coisa é verdadeira...

Disse, na mesma voz tênue e melancólica:

— Carmichael acreditava nisso. Tudo o que fora capaz de descobrir confirmava sua hipótese. Ele queria ir lá para descobrir mais, trazer provas... Se foi uma decisão correta eu tê-lo deixado ir, eu não sei. Se ele não voltar, é apenas a minha história do que ele me contou, que, por sua vez, é a história do que alguém contou a ele. Isso é bastante? Acho que não. É, como você diz, uma história tão fantástica... Mas, se o próprio homem estiver aqui em Bagdá, no dia 20, para contar a sua história, a história de uma testemunha ocular, e apresentar provas...

— Provas? — perguntou Crosbie asperamente. O outro anuiu.

— Sim, ele tem provas.

— Como é que sabe?

— A fórmula combinada. A mensagem veio por intermédio de Salah Hassan. — Citou cuidadosamente: — *Um camelo branco com uma carga de aveia está vindo pelo Passo.*

Fez uma pausa e continuou:

— Portanto, Carmichael conseguiu o que foi procurar, mas não consegue escapar sem suspeita. Estão na sua pista. Qualquer que seja o caminho que ele tomar, será vigiado e, o que é muito mais perigoso, estarão à espera dele... aqui. Primeiro na fronteira. E, se ele conseguir passar pela fronteira, haverá um cordão estendido em volta das embaixadas e dos consulados. Veja isso.

Mexeu em alguns papéis sobre a sua escrivaninha e começou a ler:

— Um inglês viajando em seu carro, da Pérsia[1] para o Iraque, morto a tiros, supostamente por bandidos. Um mercador curdo viajando colinas abaixo, emboscado e morto. Outro curdo, Abdul Hassan, suspeito de ser um contrabandista de cigarros, morto a tiros pela polícia. Corpo de um homem, posteriormente identificado como um motorista de caminhão armênio, encontrado na estrada de Rowanduz. Todos eles, preste atenção, têm aproximadamente a mesma descrição. Altura, peso, cabelo, corpo, tudo corresponde a uma descrição de Carmichael. Não estão se arriscando em nada. Estão dispostos a pegá-lo. Uma vez que ele esteja no Iraque, o perigo é ainda maior. Um jardineiro na embaixada, um empregado do consulado, um funcionário no aeroporto,

1 Atual Irã. (N.E.)

na alfândega, na estação da estrada de ferro... todos os hotéis vigiados... Um cordão bem apertado.

Crosbie levantou as sobrancelhas.

— Acha que é tão amplo assim?

— Não tenho a menor dúvida. Mesmo no nosso espetáculo tem havido vazamentos. Como posso ter certeza de que as medidas que estamos adotando para trazer Carmichael seguramente para Bagdá já não sejam conhecidas do outro lado? É um dos movimentos elementares do jogo, como sabe, ter alguém do campo oposto na folha de pagamento.

— Há alguém de quem suspeite? Dakin meneou a cabeça lentamente. Crosbie suspirou.

— Enquanto isso, nós continuamos? — perguntou.

— Sim.

— E quanto a Crofton Lee?

— Concordou em vir para Bagdá.

— Todo o mundo está vindo para Bagdá — disse Crosbie. — Mesmo o Nosso Tio, de acordo com o que diz, senhor. Mas, se algo acontecer ao presidente enquanto ele estiver aqui, o foguete irá subir com um estrondo.

— Nada deve acontecer — afirmou Dakin. — Essa é a nossa parte. Providenciar para que nada aconteça.

Quando Crosbie se retirou, Dakin dobrou-se sobre a mesa. Estava murmurando:

— Todos vieram para Bagdá...

Traçou um círculo no mata-borrão e escreveu embaixo *Bagdá*. Em seguida, fez pontinhos em volta, esboçou um camelo, um avião, um navio, um pequeno trem de chaminé bafejante, todos convergindo para o círculo. No canto da folha, desenhou uma teia de aranha. No meio da teia, escreveu um nome: *Anna Scheele*. Por baixo colocou um grande ponto de interrogação.

Em seguida, pegou o chapéu e saiu do escritório. Ao passar pela rua Rashid, um homem perguntou a outro quem era ele.

— Aquele? Oh, é Dakin. De uma das companhias de petróleo. Bom sujeito, mas não chega a lugar nenhum. Letárgico demais.

Dizem que bebe. Nunca chegará a ser nada. É preciso ter energia para chegar a ser alguma coisa nesta parte do mundo.

II

— Está com os relatórios sobre a propriedade Krugenhorf, srta. Scheele?

— Sim, sr. Morganthal.

A srta. Scheele, fria e eficiente, colocou os papéis à frente de seu patrão.

Ele grunhiu enquanto lia.

— Satisfatório, acho eu.

— Sem dúvida, sr. Morganthal.

— Schwartz está aqui?

— Está esperando na antessala.

— Mande-o entrar agora.

A srta. Scheele apertou uma campainha, uma das seis que havia.

— Ainda precisa de mim, sr. Morganthal?

— Não, acho que não, srta. Scheele.

Anna Scheele esgueirou-se silenciosamente para fora da sala.

Era uma loura platinada, mas não uma loura glamourosa. Seu pálido cabelo alourado estava puxado para trás num coque perfeito. Seus olhos de um azul pálido, inteligentes, olhavam o mundo por detrás de lentes fortes. O rosto tinha feições límpidas e miúdas, mas era bastante inexpressivo. Tinha subido na carreira não pelos seus encantos, mas por simples eficiência. Era capaz de decorar qualquer coisa, não importava quão complicada fosse, e de reproduzir nomes, datas e horas sem consultar apontamentos. Era capaz de organizar a equipe de um grande escritório de tal forma que tudo funcionava como uma máquina bem azeitada. Era a discrição em pessoa e sua energia, embora controlada e disciplinada, nunca esmorecia.

Otto Morganthal, diretor da firma Morganthal, Brown & Shipperke, banqueiros internacionais, estava bem consciente do fato de que devia a Anna Scheele mais do que o simples dinheiro poderia pagar. Confiava plenamente nela. Sua memória, sua experiência, seu julgamento e sua cabeça fria e equilibrada não tinham preço. Ele lhe pagava um alto salário e o teria aumentado se ela o tivesse pedido.

Ela conhecia não somente os detalhes de seu negócio, mas também os de sua vida particular. Quando ele a tinha consultado sobre o assunto da segunda sra. Morganthal, ela lhe tinha aconselhado o divórcio e sugerido o valor exato da pensão alimentícia. Não expressara nem simpatia nem curiosidade. Não era, diria ele, essa espécie de mulher. Para ele, ela não tinha quaisquer sentimentos e nunca imaginou o que ela pensava a respeito. Na realidade, teria ficado espantado se lhe contassem que ela abrigava quaisquer pensamentos — a não ser, claro, os ligados a Morganthal, Brown & Shipperke e aos problemas de Otto Morganthal.

Assim, foi com a maior surpresa que ele a ouviu dizer ao sair do escritório:

— Gostaria de tirar umas férias de três semanas fora de Nova York, se for possível, sr. Morganthal. A partir da próxima terça-feira.

Olhando para ela, falou sem graça:

— Seria embaraçoso, muito embaraçoso.

— Não acho que seja difícil demais, sr. Morganthal. A srta. Wygate é perfeitamente competente para tratar de tudo. Vou deixar-lhe minhas anotações e instruções completas. O sr. Cornwall pode ocupar-se da Fusão Ascher.

Ainda sem graça, ele perguntou:

— Não está doente ou algo assim?

Não podia imaginar a srta. Scheele doente. Até mesmo os germes respeitavam Anna Scheele e ficavam fora de seu caminho.

— Oh, não, sr. Morganthal. Quero ir a Londres para ver minha irmã.

— Sua irmã?

Ele não sabia que ela tinha uma irmã. Nunca concebeu a srta. Scheele como tendo família ou parentes. Nunca mencionara tê-los. E aqui estava ela, casualmente, referindo-se a Londres. No outono passado, tinha estado em Londres com ele, mas nunca havia mencionado ter uma irmã lá.

Um pouco ofendido, declarou:

— Nunca soube que tinha uma irmã na Inglaterra.

A srta. Scheele sorriu muito suavemente:

— Oh, sim, sr. Morganthal. É casada com um inglês ligado ao Museu Britânico. Ela terá que se submeter a uma operação muito séria e quer que eu esteja com ela. Eu gostaria de ir.

Em outras palavras, constatou o sr. Morganthal, tinha resolvido ir.

Resmungou:

— Muito bem, muito bem... Volte logo que puder. Nunca vi o mercado tão variável. Todo esse maldito comunismo. A guerra pode estourar a qualquer momento. Às vezes, penso que é a única solução. Todo o país está crivado disso... crivado disso. E agora o presidente decidiu ir a essa conferência em Bagdá. É uma encenação, na minha opinião. Estão querendo pegá-lo. Bagdá! De todos os lugares, o mais esquisito!

— Oh, tenho certeza de que será bem protegido — disse a srta. Scheele de modo apaziguador.

— Apanharam o xá da Pérsia no ano passado, não foi? Pegaram Bernadotte na Palestina. É loucura... isso é o que é... loucura. Mas então — acrescentou o sr. Morganthal pesadamente — o mundo todo está louco.

Capítulo 2

Victoria Jones estava sentada, pensativa, numa cadeira nos Jardins Fitz James. Estava completamente entregue a reflexões — ou, poder-se-ia quase dizer, moralizações — sobre as desvantagens inerentes ao emprego dos próprios talentos particulares no momento errado.

Victoria era, como a maioria de nós, uma moça com qualidades e defeitos. Entre suas qualidades estavam a generosidade, a bondade e a coragem. Sua inclinação natural para a aventura poderia ser considerada meritória ou não, nestes tempos modernos que tanto prezam a segurança. Seu principal defeito era mentir, tanto nos momentos oportunos quanto nos inoportunos. O grande fascínio pela ficção, e não pelos fatos, sempre fora irresistível para Victoria. Mentia com fluência, facilidade e fervor artísticos. Se chegasse atrasada a um encontro (o que acontecia frequentemente), para ela não era o bastante murmurar uma desculpa do seu relógio ter parado (o que realmente acontecia com bastante frequência) ou de um ônibus ter inexplicavelmente atrasado. Para Victoria pareceria preferível dar a desculpa esfarrapada de ter sido obstruída por um elefante fugido atravessado na estrada principal, ou por uma emocionante *blitz* relâmpago da polícia, na qual ela mesma tinha tomado parte para ajudar. Para Victoria, um mundo agradável seria aquele no qual tigres estivessem de atalaia na Strand e bandidos perigosos infestassem Tooting.

Uma moça magra, com uma aparência agradável e pernas de primeira classe, e feições que poderiam ser descritas, na realidade, como comuns. Eram miúdas e límpidas. Mas havia algo estimulante nela, pois a "carinha de borracha", como um de seus admiradores a tinha apelidado, podia distorcer aquela expressão imóvel para um arremedo espantoso de praticamente qualquer pessoa.

Foi o último desses seus talentos que a levara à sua presente confusão. Empregada como datilógrafa pelo sr.

Greenholtz, da Greenholtz, Simmon & Lederbetter, na rua Graysholme, de Londres, W. C. 2, Victoria tinha matado o tempo de uma manhã enfadonha entretendo três outras datilógrafas e o moço de recados com uma *performance* vívida da sra. Greenholtz ao fazer uma visita ao escritório de seu marido. Certa de que o sr. Greenholtz saíra para visitar seus clientes, Victoria deixou-se arrebatar.

— Por que você não qué comprá aquele banquinho Knole, paiêê? — perguntava ela em voz alta e lamurienta. — A sra. Dievatakis tem um de cetim azul elétrico. Você diz que dinheiro tá curto? Mas quando você sai com aquela loura pra jantá e dançá... Ah! Pensa que eu não sei, é? E se você sai com aquela pequena, então vou ter um banquinho todo cor de ameixa, de almofadas de ouro. E quando você diz que é um jantá de negócio, seu trouxa, e volta com batom na camisa? Então, vou ter o banquinho Knole e vou encomendá uma capa de pele muito bonita, toda com arminho, mas não arminho de verdade, e eu vou conseguir ela muito barato e vai ser um bom negócio.

A falha súbita do seu auditório, a princípio extasiado, mas agora subitamente voltado ao trabalho com concordância espontânea, fez Victoria interromper-se e voltar-se para onde o sr. Greenholtz estava de pé, no umbral da porta, observando-a.

Victoria, incapaz de pensar em algo relevante para dizer, simplesmente exclamou:

— Oh!

O sr. Greenholtz grunhiu.

Tirando o casaco, o sr. Greenholtz encaminhou-se para seu escritório particular e fechou a porta com estrondo. Quase imediatamente, a campainha soou, dois toques curtos e um longo. Era um chamado para Victoria.

— É para você, Jonesinha — comentou uma colega desnecessariamente, de olhos brilhantes pelo prazer causado pela desgraça da outra. As demais datilógrafas colaboravam nesse sentimento, exclamando:

— É a sua vez, Jones.

— Para a berlinda, Jonesinha.

O mensageiro, uma criança desagradável, contentou--se em passar o indicador diante do pescoço e proferir um som sinistro.

Victoria apanhou o caderno de anotações e o lápis, e foi para o escritório do sr. Greenholtz, com tanta segurança quanto conseguia reunir.

— Está me chamando, sr. Greenholtz? — murmurou, fixando um olhar límpido nele.

O sr. Greenholtz estava amarfanhando três notas de uma libra e procurando moedas em seus bolsos.

— Ora, aí está você — observou ele. — Para mim chega, minha jovem. Vê alguma razão especial pela qual não deva lhe pagar uma semana de salário em lugar de aviso prévio e mandá-la embora agora mesmo?

Victoria, uma órfã, tinha acabado de abrir a boca para explicar como a aflição de uma mãe sofrendo, neste momento, uma operação séria a tinha abalado tanto que tinha ficado com a cabeça completamente aérea e, como o seu salário minguado era tudo que a referida mãe tinha para sustentar-se, quando, lançando um olhar de soslaio para a face desagradável do sr. Greenholtz, fechou a boca e mudou de ideia.

— Não poderia estar mais de acordo com o senhor — disse ela aberta e agradavelmente. — Penso que está absolutamente certo, se entende o que quero dizer.

O sr. Greenholtz parecia ligeiramente espantado. Não estava acostumado a funcionárias com esse espírito aprovador e congratulatório. Para esconder um ligeiro mal-estar, remexeu a pilha de moedas à sua frente na escrivaninha. Em seguida, mais uma vez, vasculhou seus bolsos.

— Faltam nove *pence* — murmurou soturnamente.

— Não tem importância — disse Victoria gentilmente. — Vá ao cinema ou compre umas balas.

— Parece que não tenho nem selos.

— Não importa. Eu nunca escrevo cartas.

— Poderia mandar pelo correio — disse o sr. Greenholtz, mas sem muita convicção.

— Não se incomode. Que tal uma referência? — perguntou Victoria.

A cólera do sr. Greenholtz voltou.

— Por que diabo deveria eu lhe dar uma referência? — perguntou ele furiosamente.

— É costumeiro — retrucou Victoria.

O sr. Greenholtz puxou um pedaço de papel e rabiscou algumas linhas. Empurrou o papel em sua direção.

— Está bom assim?

A srta. Jones esteve comigo por dois meses como estenodatilógrafa. Sua taquigrafia é inexata e não sabe ortografia. Está saindo devido à perda de tempo durante o expediente.

Victoria fez uma careta.

— Não é bem uma recomendação — observou.

— Não pretendia que fosse — observou o sr. Greenholtz.

— Acho — disse Victoria — que poderia pelo menos dizer que sou honesta, sóbria e respeitável. Eu sou, como sabe. E talvez pudesse acrescentar que sou discreta.

— Discreta? — gritou o sr. Greenholtz.

Victoria encontrou seu olhar com uma expressão inocente.

— Discreta — repetiu gentilmente.

Lembrando-se de diversas cartas que foram ditadas a Victoria e datilografadas por ela, o sr. Greenholtz decidiu que a prudência era a melhor parte do rancor.

Agarrou o papel de volta, rasgou-o e começou uma folha nova.

A srta. Jones esteve comigo por dois meses como estenodatilógrafa. Está nos deixando devido à necessidade da redução de pessoal do escritório.

— Que tal isso?

— Podia ser melhor — disse Victoria —, mas servirá.

Foi assim, com o salário de uma semana (menos nove *pence*) na bolsa, que Victoria foi sentar num banco nos Jardins Fitz James, que são uma plantação triangular de arbustos extremamente tristes, ao lado de uma igreja e dominada por um alto armazém.

Era hábito de Victoria, em qualquer dia em que não estivesse realmente chovendo, comprar um sanduíche de queijo e outro de alface e tomate numa lanchonete, e comer esse lanche simples naquela paisagem pseudorural.

Agora, ao mastigar meditativamente, estava dizendo a si mesma, não pela primeira vez, que havia um tempo e um lugar para cada coisa, e que o escritório não era certamente o lugar para imitações da mulher do patrão. No futuro teria que dominar a sua exuberância natural que a levou a iluminar o desempenho de uma tarefa maçante. Enquanto isso, ela estava livre da Greenholtz, Simmon & Lederbetter, e a perspectiva de conseguir um emprego em outro lugar a enchia de perspectivas agradáveis. Victoria ficava sempre deliciada quando estava em vias de assumir um novo emprego. Nunca se sabia, sentia ela, o que poderia acontecer.

Tinha acabado de distribuir o último farelo de pão entre três pardais atentos, que imediatamente começaram a disputá-lo furiosamente, quando se apercebeu de um jovem que estava sentado na outra ponta do banco. Victoria o tinha notado já vagamente, mas, com a sua mente cheia de boas resoluções para o futuro, não o observara atentamente até agora. Do que via (pelo rabo do olho), gostava muito. Era um jovem de boa aparência, querubicamente bonito, mas com um queixo firme e olhos extremamente azuis que tinham estado, ela gostava de imaginar, a examiná-la por algum tempo com admiração encoberta.

Victoria não tinha inibições a respeito de fazer amizade com jovens estranhos em lugares públicos. Considerava a si mesma uma excelente juíza de pessoas de caráter e bem capaz de controlar quaisquer manifestações de ousadia por parte de homens desacompanhados.

Começou a sorrir-lhe francamente, e o jovem reagiu como uma marionete quando se puxa a corda.

— Olá — disse o jovem. — Bonito lugar este. Sempre vem aqui?

— Quase todos os dias.

— Azar o meu nunca ter vindo aqui antes. Estava almoçando?

— É.

— Acho que você não come o bastante. Eu morreria de fome se comesse apenas dois sanduíches. Que tal vir comigo e comer uma linguiça no SPO, na estrada de Tottenham Court?

— Não, obrigada. Estou bem. Não poderia comer mais nada agora.

Ela quase esperava que ele dissesse: "Outro dia, então", mas ele não o fez. Simplesmente suspirou e em seguida falou:

— Meu nome é Edward, qual é o seu?

— Victoria.

— Por que seus pais a quiseram chamar por um nome de estação de estrada de ferro?

— Victoria não é somente o nome de uma estação de estrada de ferro — indicou a srta. Jones. — Também há a rainha Victoria.

— Hum... sim. Qual é o seu outro nome?

— Jones.

— Victoria Jones — disse Edward, experimentando o nome na língua. Meneou a cabeça. — Não combina.

— Você tem muita razão — disse Victoria sensibilizada. — Se eu fosse Jenny seria bem bonito... Jenny Jones. Mas Victoria requer algo com mais classe. Victoria Sackville-West, por exemplo.

Essa é a espécie de coisa de que a gente precisa. Algo para fazer rolar pela boca.

— Você poderia acrescentar algo ao Jones — sugeriu Edward com interesse simpatizante.

— Bedford Jones.

— Carisbrooke Jones.

— St. Clair Jones.

— Lonsdale Jones.

Esse agradável jogo foi interrompido pelo olhar de Edward ao seu relógio e sua exclamação horrorizada.

— Tenho de correr de volta ao meu maldito patrão... e você?

— Estou desempregada. Fui despedida hoje pela manhã.

— Oh, sinto muito — disse Edward com real preocupação.

— Não desperdice a sua simpatia, porque não estou nem um pouquinho triste. Por um lado, vou conseguir outro emprego com facilidade, e, depois, tudo isso foi deveras engraçado.

E, atrasando ainda mais a volta de Edward ao dever, ela lhe fez uma reprodução espirituosa da cena da manhã, reapresentando a sua personificação da sra. Greenholtz para imenso divertimento de Edward.

— Você é realmente maravilhosa, Victoria — disse ele. — Você devia estar no palco.

Victoria aceitou esse tributo com um sorriso agradecido e comentou que Edward devia ir andando se não quisesse ser mandado para o olho da rua.

— Sim, e eu não conseguiria um outro emprego com a mesma facilidade que você. Deve ser maravilhoso ser uma boa estenodatilógrafa — disse Edward com inveja na voz.

— Bem, na realidade não sou boa estenodatilógrafa — admitiu Victoria francamente —, minha sorte é que as piores estenodatilógrafas, hoje em dia, podem conseguir um emprego de qualquer espécie, pelo menos um educacional ou de caridade; estes não podem pagar muito, de modo que conseguem pessoal como eu. Prefiro a espécie de emprego intelectual. Esses nomes e lugares e termos científicos de qualquer forma são tão assustadores que, mesmo quando não souber escrevê-los corretamente, na realidade isso não lhe fará vergonha alguma, porque ninguém seria capaz. Qual é o seu emprego? Presumo que você trabalhe em algum serviço de segurança do governo. RAF?[2]

— Bom palpite.

— Piloto de caça?

— Acertou de novo. São muito amáveis em nos conseguirem empregos e tudo, mas, veja você, o problema é que não somos especialmente inteligentes. Quero dizer, não era preciso ser muito inteligente na RAF. Eles me colocaram num escritório com um monte de arquivos e números e algo para pensar, e eu simplesmente entreguei os pontos. Toda a coisa, de qualquer forma, parecia completamente sem propósito. Mas é isso. Acho que deprime um pouco saber que você não serve absolutamente para nada.

Victoria concordou com veemência. Edward continuou, amargamente:

— Sem contato. Completamente fora do mapa. Estava tudo certo durante a guerra — era possível a gente aguentar as pontas... eu, por exemplo, ganhei a DFC...[3] mas agora, bem, posso considerar-me muito bem fora do mapa.

— Mas devia haver...

Victoria interrompeu-se. Sentia-se completamente incapaz de colocar em palavras a sua convicção de que as qualidades que trouxeram uma DFC a seu proprietário de algum modo deveriam ter seu lugar designado no mundo de 1950.

— Isso quase que me arrasou — disse Edward. — Não ser bom em nada, quero dizer. Bem... melhor eu ir

---

2 Royal Air Force, a força aérea britânica. (N.E.)

3 Cruz por serviços relevantes em voo. (N.T.)

andando... quero dizer... você se importaria... não seria muita presunção... se eu apenas pudesse...

Quando Victoria abriu os olhos surpresos, um Edward balbuciante e de faces repentinamente coradas tirou uma pequena câmera.

— Eu gostaria muito de ter um retrato seu. Sabe, vou para Bagdá amanhã.

— Bagdá? — exclamou Victoria com vivo desapontamento.

— Sim. Quero dizer, gostaria que não fosse... agora. Antes, pela manhã, eu estava bastante animado com isso; foi a razão pela qual, na realidade, aceitei esse emprego... para sair do país.

— Que espécie de trabalho é?

— Horroroso. Cultura, poesia, toda essa espécie de coisas. Um tal de dr. Rathbone é meu chefe. Uma porção de títulos depois do nome, olha a gente comoventemente por um *pince-nez*. Ele é terrivelmente entusiasmado por instrução e a espalha perto e longe. Abre livrarias em lugares remotos; está abrindo uma em Bagdá. Empenha-se em traduzir as obras de Shakespeare e Milton para o árabe e o curdo, e o persa e o armênio, e tem todas elas à mão. Bobagem, acho eu, porque temos o Conselho Britânico fazendo a mesma coisa em todos os lugares. No entanto, aí está. A mim, me dá um emprego, de modo que eu não devia reclamar.

— Que é que você faz na realidade? — perguntou Victoria.

— Bem, no fim das contas tudo se resume em ser o puxa-saco pessoal do velhote e capachildo. Comprar os bilhetes, fazer as reservas, preencher os formulários de passaporte, conferir a embalagem de todos aqueles pequenos manuais horrendos de poesia, correr para cá, para lá e para todo lugar. Então, quando chegarmos lá, devo congregar, uma espécie de movimento glorificado de juventude, todas as nações para uma campanha unida pela instrução — o tom de Edward se tornou mais e mais melancólico. — Francamente, é bem aterrador, não é?

Victoria foi incapaz de administrar qualquer conforto.

— Como você vê... — disse Edward. — Se você não se importar demais... uma de lado e uma olhando de frente para mim... Oh, assim está maravilhoso...

A câmera deu dois cliques, e Victoria demonstrou aquela complacência ronronante demonstrada por mulheres jovens que sabem que causaram uma impressão num membro atraente do sexo oposto.

— Mas é bastante chato ter de ir embora, justamente quando a encontrei — disse Edward. — Estou com vontade de mandar tudo às favas... mas acho que não poderia agora, no último momento, não depois de todos aqueles formulários tenebrosos e vistos e tudo. Não seria um bom desempenho, não é?

— Pode acabar sendo melhor do que você pensa — disse Victoria consoladoramente.

— N... não — replicou Edward em dúvida. — A coisa mais gozada é — acrescentou — que tenho um pressentimento de que há algo podre nisso tudo.

— Podre?

— Sim. Vigarice. Não me pergunte por quê. Não tenho motivo algum. É uma espécie de palpite que a gente tem às vezes. Uma vez tive um a respeito do meu óleo de bombordo. Comecei a fuçar a maldita coisa e não é que havia uma arruela encravada na bomba da cremalheira?

Os termos técnicos nos quais isso foi relatado tornava tudo bastante ininteligível para Victoria, mas ela conseguiu captar a ideia geral.

— Acha que *ele* é vigarista... Rathbone?

— Não vejo como ele possa ser. Quero dizer, é assustadoramente respeitável e estudado, e é membro de todas essas sociedades; e é uma espécie de amigo íntimo de arcebispos e diretores de colégios. Não, é apenas um palpite. Bem, o tempo mostrará. Até logo. Eu gostaria que você viesse também.

— Eu também — disse Victoria.

— Que é que você vai fazer?

— Ir para a Agência St. Guildric, na rua Gower, e procurar outro emprego — disse Victoria sombriamente.

— Adeus, Victoria. *Partir, c'est mourir un peu* — acrescentou Edward com um sotaque bem britânico. — Aqueles rapazes franceses sabem do que se trata. Nossos colegas ingleses apenas vão se lamentando sobre a partida que é uma doce dorzinha... idiotas.

— Adeus, Edward. Boa sorte.

— Não creio que você pense em mim novamente.

— Pensarei sim. Você é completamente diferente de qualquer moça que vi antes... eu apenas gostaria... O relógio deu a badalada do quarto de hora, e Edward disse:

— Diabo, tenho de ir voando...

Retirando-se rapidamente, foi engolido pelo grande bucho de Londres. Victoria, ficando para trás em seu lugar, absorta em meditação, estava consciente de duas correntes distintas de pensamentos.

Uma tratava do tema de *Romeu e Julieta*. Ela e Edward, sentia Victoria, estavam de algum modo na posição daquele casal infeliz, embora talvez Romeu e Julieta tivessem expressado seus sentimentos em linguagem um pouco mais culta. "Mas a situação", pensava Victoria, "é a mesma. Encontro, atração instantânea, frustração, dois corações que se querem separados à força". A lembrança de uma quadrinha, há muito tempo frequentemente recitada pela sua velha babá, lhe veio à mente.

"Eu te amo" declarou-se Jumbo para Alice.
"Não acredito" para Jumbo ela disse.
Se me amasse, como diz que ama,
Pra América não iria, cá deixando sua dama.

Substitua América por Bagdá, e a coisa está aí!

Victoria finalmente levantou-se, limpando os farelos do colo, e andou decididamente para fora dos Jardins Fitz James em direção à rua Gower. Tinha tomado duas decisões: a primeira era que (como Julieta) ela amava esse jovem e estava decidida a tê-lo.

A segunda decisão de Victoria era que, como Edward em breve estaria em Bagdá, a única coisa a fazer seria ir a Bagdá também. O que agora estava ocupando a sua mente era como isso poderia ser feito. Que era possível, Victoria não duvidava. Era uma moça de otimismo e força de caráter.

Partir é uma dorzinha tão doce, e como sentimento, a atraía tão pouco quanto a Edward.

"De algum modo", Victoria estava dizendo para si mesma, "tenho de ir a Bagdá!".

Capítulo 3

I

O hotel Savoy deu as boas-vindas a Anna Scheele com todo o *empressement* devido a um cliente antigo e valioso — perguntaram pela saúde do sr. Morganthal e lhe asseguraram que, se a suíte não estivesse a seu gosto, ela somente teria de dizê-lo —, pois Anna Scheele representava DÓLARES.

A srta. Scheele tomou banho, vestiu-se, fez uma chamada telefônica para um número em Kensington e, em seguida, desceu pelo elevador. Passou pela porta giratória e pediu um táxi. Este chegou e ela o encaminhou à Cartier, na rua Bond.

Quando o táxi deixou o Savoy e dobrou na Strand, um homenzinho moreno, que admirava a vitrine de uma loja, subitamente olhou o relógio e fez sinal a um táxi que estava passando convenientemente e que tinha estado singularmente cego aos acenos de uma mulher agitada, cheia de embrulhos, uns momentos antes.

O táxi seguiu pela Strand, não perdendo o primeiro táxi de vista. Quando ambos foram detidos pelo sinal de trânsito, e ao contornar a praça Trafalgar, o homem do segundo táxi olhou pela janela da esquerda e fez um pequeno gesto com a mão. Um carro particular, que estava parado na travessa ao lado do Arco do Almirante, acionou seu motor e entrou na torrente de tráfego atrás do segundo táxi.

O trânsito começou a se movimentar. O táxi de Anna Scheele seguiu a torrente que ia para a esquerda, em direção ao Pall Mall; o táxi no qual estava o pequeno homem moreno dobrou à direita, continuando ao redor da praça Trafalgar. O carro particular, um Standard cinza, agora estava bem perto, atrás do táxi de Anna Scheele. Trazia dois passageiros: no volante um jovem louro, de olhar bastante vago, e uma mulher jovem, elegantemente vestida, a seu lado. O Standard seguiu o táxi de Anna Scheele por Piccadilly e rua Bond acima. Aqui, por um momento, parou junto ao meio-fio, e a jovem desceu.

Agradeceu alegre e convencionalmente:

— Muito obrigada.

O carro seguiu viagem. A mulher continuava olhando, de vez em quando, para uma vitrine. Um engarrafamento parou o tráfego. A jovem passou tanto pelo Standard quanto pelo táxi de Anna Scheele; chegou à Cartier e entrou.

Anna Scheele pagou o táxi e entrou na joalheria. Gastou algum tempo olhando diversas joias. Finalmente escolheu um anel de safira e brilhante. Pagou por ele com um cheque de um banco de Londres. À vista do nome escrito nele, as maneiras do vendedor adquiriram uma dose extra de *empressement*.

— Prazer em vê-la novamente em Londres, srta. Scheele. O sr. Morganthal veio?

— Não.

— Eu estava curioso. Temos uma linda safira astéria aqui... Sei que ele se interessa por safiras astérias. Gostaria de vê-la?

A srta. Scheele expressou o desejo de vê-la, admirou-a devidamente e prometeu mencioná-la ao sr. Morganthal.

Saiu novamente para a rua Bond, e a jovem que tinha estado olhando uns brincos expressou-se incapaz de decidir e também saiu.

O carro Standard cinza, tendo virado na rua Grafton e descido por Piccadilly, estava justamente subindo novamente pela rua Bond. A jovem não mostrou sinais de reconhecimento.

Anna Scheele entrou pela Arcada. Foi à loja de um florista. Encomendou três dúzias de rosas de cabos compridos, uma concha cheia de grandes e doces violetas púrpuras, uma dúzia de brotos de lírios e uma jarra cheia de mimosas. Deu um endereço para a entrega.

— São 12 libras e 18 xelins, madame.

Anna Scheele pagou e saiu. A jovem que tinha acabado de entrar perguntou o preço de um maço de primaveras, mas não as comprou.

Anna Scheele cruzou a rua Bond, seguiu pela rua Burlington e dobrou para Savile Row. Ali, entrou no estabelecimento de um desses alfaiates que, embora trabalhem exclusivamente para homens, ocasionalmente condescendem em cortar um *tailleur* para certos membros favorecidos do sexo feminino.

O sr. Bolford recebeu a srta. Scheele com os cumprimentos concedidos a um cliente apreciado, e foram escolhidos os tecidos para um costume.

— Felizmente posso dar-lhe nossa qualidade de exportação. Quando voltará a Nova York, srta. Scheele?

— No dia 23.

— Dará bastante tempo. Pela Cliper, suponho?

— Sim.

— E como estão as coisas na América? Aqui estão bastante tristes... bastante tristes na verdade.

O sr. Bolford meneou a cabeça como um médico descrevendo um paciente.

— Ninguém liga para nada, se é que me entende. E não aparece ninguém que tenha prazer num bom trabalho. Sabe quem é que vai cortar o seu costume, srta. Scheele? O sr. Lantwick; tem 72 anos de idade e é o único em quem posso realmente confiar para os nossos melhores fregueses. Todos os outros...

As mãos gorduchas do sr. Bolford os varriam embora.

— Qualidade — disse ele. — É o que fez esta terra célebre. Qualidade! Nada barato, nada gritante. Quando tentamos produção em massa não somos bons nisso, e isso é um fato. Esta é a especialidade de *seu* país, srta. Scheele. O que temos que defender, repito, é qualidade. Levar tempo e incômodo para as coisas e produzir um artigo que ninguém no mundo pode superar. Agora, que dia vamos marcar para a primeira prova? Daqui a uma semana? Às 11h30? Muito obrigado.

Abrindo caminho pela claridade arcaica em volta de peças de tecido, Anna Scheele chegou novamente à luz do dia. Parou um táxi e voltou ao Savoy. Um táxi que estava estacionado do lado oposto da rua e trazia um homenzinho moreno foi pelo mesmo caminho, mas não dobrou para o Savoy. Seguiu para o lado do dique e ali apanhou uma mulher baixa e gorda que acabara de sair pela entrada de serviço do Savoy.

— E a respeito de Louisa? Vasculhou o quarto dela?

— Sim. Nada.

Anna Scheele almoçou no restaurante do hotel. Uma mesa tinha sido reservada para ela ao lado da janela. O *maître d'hôtel* perguntou afetuosamente pela saúde de Otto Morganthal.

Depois do almoço, Anna Scheele pegou a chave e subiu para a suíte. A cama tinha sido feita, toalhas frescas estavam no banheiro e tudo estava em excelente ordem. Dirigiu-se para as duas leves malas que constituíam a sua bagagem, uma estava aberta, e a outra, fechada. Espiou o conteúdo da que estava aberta; em seguida, tirando as chaves da bolsa, abriu a outra. Tudo estava em ordem, dobrado como ela dobrava as coisas, aparentemente nada tinha sido tocado ou remexido. Uma pasta de couro encontrava-se em cima. Uma pequena câmera Leica e dois rolos de filme estavam num canto. Os filmes estavam ainda fechados e lacrados. Passou uma unha sobre a dobra e puxou-a. Em seguida, sorriu gentilmente. O fio de cabelo louro quase invisível que tinha estado ali não estava mais. Habilmente, polvilhou um pouco de pó de arroz sobre o couro luzidio da pasta e soprou. A pasta permaneceu clara e lustrosa. Não havia impressões digitais. Mas esta manhã, depois de ter passado um pouco de brilhantina em seus cabelos louros, tinha manuseado a pasta. Devia haver impressões digitais sobre ela, as suas próprias.

Sorriu novamente.

— Bom trabalho — disse para si mesma. — Mas não o bastante...

Habilmente, fez a mala pequena de pernoite e novamente dirigiu-se para baixo. Um táxi foi chamado, e ela mandou o motorista tocar para os Jardins Elmsleigh nº 17.

Os Jardins Elmsleigh eram uma espécie de praça Kensington, bastante encardidos. Anna pagou o táxi e correu escada acima para a porta que estava descascando. Apertou a campainha. Depois de alguns minutos, uma mulher idosa abriu a porta com um rosto suspeitoso, que imediatamente se transformou num brilho de boas-vindas.

— A srta. Elsie ficará tão contente em vê-la! Ela está no estúdio dos fundos. É somente o pensamento de sua vinda que a tem conservado disposta.

Anna percorreu rapidamente o longo corredor escuro e abriu a porta na outra extremidade. Era um quarto pequeno e esfarrapado, com grandes poltronas de couro desgastadas. A mulher sentada em uma delas pulou.

— Anna querida.

— Elsie.

Beijaram-se afetuosamente.

— Está tudo arranjado — disse Elsie. — Irei hoje à noite. Espero...

— Anime-se — interrompeu Anna. — Tudo vai dar certo.

II

O homenzinho moreno de capa de chuva entrou numa cabine de telefone na estação de Kensington da rua High e discou um número.

— Companhia de Gramofones Valhalla?

— Sim.

— Aqui é Sanders.

— Sanders do rio? Que rio?

— Rio Tigre. Relatório sobre A.S. Chegou esta manhã de Nova York. Foi à Cartier. Comprou anel de safira e brilhante custando 120 libras. Foi à florista, Jane Kent: 12 libras e 18 xelins de flores para serem entregues em uma casa de saúde na praça Portland. Encomendou um casaco e uma saia na Bolford & Acory. Que se saiba nenhuma dessas firmas tem contatos suspeitos, mas, no futuro, serão objeto de atenção especial. Quarto de A.S. no Savoy revistado. Não foi achado nada de suspeito. Pasta na mala contendo papéis relacionados à fusão de ações Wolfensteins. Tudo legítimo. Câmera e dois rolos de filmes aparentemente virgens. Possibilidade de os filmes serem cópias fotostáticas, substituídos por outros filmes, mas filmes originais relacionados como sendo filmes virgens efetivamente não utilizados. A.S. levou uma malinha de pernoite e foi visitar a irmã em Jardins Elmsleigh 17. Irmã internando-se na casa de saúde da praça Portland para uma cirurgia, confirmada pela casa de saúde e também pelo livro de apontamentos do cirurgião. A visita de A.S. parece perfeitamente legítima. Não demostrou qualquer desassossego ou consciência de ter sido seguida. Compreendo que vai passar esta noite na casa de saúde. Conservou seu quarto no Savoy. Passagem de regresso para Nova York, pela Cliper, reservada para o dia 23.

O homem que se identificou como Sanders do rio fez uma pausa e acrescentou um pós-escrito, por assim dizer, por sua conta:

— E se quiser saber o que acho, isso não vai dar em nada! Jogando dinheiro fora, é só o que ela está fazendo. Doze libras e 18 xelins em flores! Pode?!

Capítulo 4

I

O fato da possibilidade de fracassar no seu intento não ter ocorrido nem por um momento a Victoria evidencia a vivacidade de seu temperamento. Versos sobre navios que passam à noite não eram para ela. Era certamente falta de sorte que tivesse, bem, francamente, caído por um jovem atraente e que esse jovem estivesse justamente em vias de partir para um lugar a cerca de cinco mil quilômetros de distância. Ele bem que poderia ter ido para Aberdeen ou Bruxelas, ou mesmo Birmingham.

"Mas tinha que ser Bagdá", pensou Victoria, era bem a espécie de sorte que tinha! Não obstante, por difícil que fosse, ela planejava ir para Bagdá de um modo ou de outro. Victoria caminhava decididamente ao longo da estrada de Tottenham Court, remoendo caminhos e meios. Bagdá. "Que estava acontecendo em Bagdá?" De acordo com Edward: "Cultura." Poderia ela, de alguma forma penetrar nessa área? Unesco? A Unesco estava sempre mandando gente para lá e para cá, e para todos os lugares, às vezes aos lugares mais deleitosos. "Mas essas eram geralmente", refletia Victoria, "jovens mulheres superiores, com grau universitário, que tinham entrado para o ramo muito mais cedo".

Decidindo que as prioridades deveriam vir em primeiro lugar, Victoria finalmente dirigiu seus passos para uma agência de viagens e ali fez as suas indagações. Não havia dificuldade, ao que parecia, em viajar para Bagdá. Podia-se ir pelo ar, por alto-mar até Basrah, por trem para Marselha e por navio para Beirute e, através do deserto, por carro. Podia-se ir via Egito. Podia-se fazer o trajeto todo de trem, se estivesse disposto a isso, mas os vistos atualmente estavam difíceis e incertos, e sujeitos a terem expirado até a hora de recebê-los. Bagdá se encontrava na área de influência da libra esterlina e, por isso, dinheiro não representava dificuldades. Isto é, pelo que dizia o funcionário. Em suma: não havia dificuldades em ir para Bagdá, desde que se tivesse entre sessenta e cem libras em dinheiro.

Como Victoria tinha, neste momento, três libras e dez (menos nove *pence*), uns 12 xelins extras e cinco libras na Caixa Econômica do Correio, o caminho simples e direto estava fora de cogitação.

Ela fez perguntas inquiridoras sobre um emprego como aeromoça ou comissária de bordo, mas estes, ela descobriu, eram postos altamente cobiçados para os quais havia uma lista de espera.

Victoria visitou em seguida a Agência St. Guildric, onde a srta. Spenser, sentada à sua eficiente escrivaninha, saudou-a como uma daquelas que estavam destinadas a passar pelo seu escritório com frequência razoável.

— Nossa, srta. Jones, não está sem emprego *outra vez*! Eu realmente esperava que este último...

— Completamente impossível — disse Victoria firmemente. — Eu realmente não poderia tentar contar-lhe o que tive que aguentar.

Um rubor prazeroso subiu pelas faces pálidas da srta. Spenser.

— Não — começou ela. — Espero que não... Ele me parecia realmente essa espécie de homem; mas naturalmente é um pouco grosso... eu realmente espero...

— Está tudo muito bem — disse Victoria. Conseguiu produzir um pálido sorriso corajoso. — Sei tomar conta de mim mesma.

— Naturalmente, mas é desagradável.

— Sim — anuiu Victoria. — É desagradável. No entanto... — De novo sorriu corajosamente.

A srta. Spenser consultou seus livros.

— A Assistência de São Leonardo para Mães Solteiras procura uma datilógrafa — informou a srta. Spenser. — Naturalmente, eles não pagam muito.

— Existe alguma possibilidade — perguntou Victoria abruptamente — de um emprego em Bagdá?

— Em Bagdá? — perguntou a srta. Spenser com vívido espanto. Victoria percebeu que poderia ter dito da mesma forma "em Kamchatka" ou "no Pólo Sul".

— Eu gostaria muito de ir para Bagdá — disse Victoria.

— Eu acho difícil... Quer dizer, como secretária?

— De qualquer jeito — respondeu Victoria. — Como enfermeira, ou cozinheira, ou tomando conta de um lunático. Do jeito que puder.

A srta. Spenser meneou a cabeça.

— Temo que não possa lhe dar muita esperança. Ontem uma senhora esteve aqui com duas menininhas oferecendo uma passagem para a Austrália.

Victoria varreu a Austrália com a mão e levantou-se.

— Se souber de alguma coisa. Só a passagem de ida. É tudo de que preciso — enfrentou a curiosidade nos olhos da outra moça explicando: — Tenho parentes... lá. E soube que há uma porção de empregos bem pagos. Mas, naturalmente, é preciso chegar lá primeiro.

"Sim", repetiu Victoria para si mesma, ao sair do escritório de St. Guildric. "É preciso chegar lá."

Um aborrecimento adicional para Victoria era que, como de costume, quando a atenção da gente fica focalizada subitamente num determinado nome ou assunto, tudo parecia conspirar de repente para trazer Bagdá à sua mente.

Um breve parágrafo no jornal da noite, que ela comprou, dizia que o sr. Paucefoot Jones, o afamado arqueólogo, começara as escavações da antiga cidade de Murik, situada a 180 quilômetros de Bagdá. Um anúncio mencionava linhas de navegação para Basrah (e de lá para Bagdá, Mosul etc.). No jornal, que forrava a sua gaveta das meias, umas linhas impressas sobre estudantes em Bagdá saltaram aos seus olhos. *O ladrão de Bagdá* estava em cartaz no cinema local e, na vitrine da livraria, frequentada por intelectuais e a qual sempre olhava, estava exposta proeminentemente uma *Nova biografia de Harun Al-Rashid, califa de Bagdá.*

O mundo todo, parecia-lhe, estava subitamente tornando-se consciente de Bagdá. E, até aquela tarde, aproximadamente às 13h45, para todos os fins e propósitos, ela nunca tinha ouvido falar de Bagdá e certamente nunca tinha pensado a respeito.

As perspectivas para chegar lá eram insatisfatórias, mas Victoria não tinha a menor intenção de desistir. Tinha uma imaginação fértil e o ponto de vista otimista de que, se você quer fazer uma coisa, sempre há uma maneira de fazê-la.

Gastou a tarde fazendo uma lista de abordagens possíveis. Constava do seguinte:

Tentar Ministério do Exterior?
Publicar anúncio?
Tentar a Legação do Iraque?
Que tal firmas de encontros?
Idem, firmas de exportação?
Conselho Britânico?
Escritório de Informações Selfridge?
Escritório de Conselho aos Cidadãos?

Nada disso, era forçada a admitir, parecia muito promissor. Acrescentou à lista:

De uma forma ou de outra, conseguir cem libras?

II

Os intensos esforços mentais de concentração que Victoria tinha empregado à noite e possivelmente a satisfação subconsciente de não mais ter de estar pontualmente às nove no escritório fizeram com que ela dormisse demais.

Acordou às 10h15 e imediatamente saltou da cama e começou a se vestir. Estava justamente dando uma penteadela final no escuro cabelo rebelde quando o telefone tocou.

Victoria pegou o fone.

Uma srta. Spenser positivamente agitada estava do outro lado.

— Tão contente de tê-la alcançado. Realmente a coincidência mais extraordinária.

— Sim? — disse Victoria.

— Como digo, uma coincidência realmente extraordinária. Uma tal sra. Hamilton Clipp, viajando para Bagdá, dentro de três dias, quebrou o braço e precisa de alguém para ajudá-la na viagem; telefonei-lhe imediatamente. Naturalmente não sei se consultou também outras agências...

— Já estou a caminho — respondeu Victoria. — Onde é que ela está?

— No Savoy.

— E qual é o nome estúpido? Tripp?

— Clipp, querida. Como um *clip* de papel, mas com dois pês... Não sei por quê, mas ela é americana — concluiu a srta. Spenser, como se isso explicasse tudo.

— Sra. Clipp, no Savoy.

— Sr. e sra. Hamilton Clipp. Na verdade, foi o marido quem telefonou.

— Você é um anjo — declarou Victoria. — Até logo.

Apressadamente escovou seu costume marrom e desejou que fosse menos esmolambado, penteou novamente o cabelo para fazê-lo parecer menos exuberante e mais de acordo com o papel de anjo diplomático e viajante experimentada. Em seguida, tirou da bolsa a recomendação do sr. Greenholtz e meneou a cabeça sobre ela.

— Temos de fazer melhor que isso.

Victoria saltou do ônibus 19 em Green Park e entrou no hotel Ritz. Um breve olhar sobre o ombro de uma mulher lendo no ônibus resultara compensador. Entrando na sala de estar, Victoria escreveu para si mesma algumas linhas de elogio generoso de Lady Cynthia Bradbury, que tinha sido anunciada como tendo acabado de sair da Inglaterra para a África Oriental... *"Excelente na doença"*, escreveu Victoria, *"e muito capaz em todos os sentidos..."*.

Saindo do Ritz, cruzou a rua e caminhou um curto trecho da rua Albemarle, até que foi para o hotel Balderton, renomado como o refúgio do clero mais alto e de velhas herdeiras do interior.

Numa letra menos ousada e fazendo esses *e* gregos pequenos e bonitos, ela escreveu uma recomendação do bispo de Llangow.

Assim equipada, Victoria pegou o ônibus nº 9 e seguiu para o Savoy.

Na recepção, perguntou pela sra. Hamilton Clipp e deu seu nome como vindo da Agência St. Guildric. O empregado estava já puxando o telefone para si quando parou, olhou em frente e disse:

— Olhe, ali está o sr. Hamilton Clipp.

O sr. Hamilton Clipp era um americano imensamente alto e muito magro, de cabelos grisalhos, de aspecto bondoso e de fala deliberadamente lenta.

Victoria deu-lhe seu nome e mencionou a agência.

— Ora, então, srta. Jones, é melhor subir e ver a sra. Clipp. Ela ainda está no nosso apartamento. Acho que está entrevistando alguma outra jovem, mas pode ser que já tenha saído.

Um frio pânico apertou o coração de Victoria.

Será que deveria estar tão próxima e ao mesmo tempo tão longe? Foram de elevador até o terceiro andar.

Quando estavam indo pelo corredor de tapetes grossos, uma jovem saiu de uma porta do extremo oposto e veio em sua direção. Victoria teve uma espécie de alucinação de que era ela mesma que estava se aproximando. Possivelmente, pensava ela, porque o *tailleur* feito sob medida era tão exatamente aquilo que ela gostaria de estar vestindo. "E me assentaria bem. Sou bem do tamanho dela. Como gostaria de arrancá-lo dela", pensou Victoria, com uma volta à selvageria feminina primitiva.

A jovem passou por eles. Um pequeno chapéu de veludo, colocado de um lado da cabeça, parcialmente escondia o rosto, mas o sr. Hamilton Clipp voltou-se para olhar atrás dela com um ar de surpresa.

— Ora, sim, senhor — disse para si mesmo. — Quem teria pensado? Anna Scheele.

Acrescentou de maneira explanatória.

— Desculpe-me, srta. Jones. Fiquei surpreso ao reconhecer uma jovem senhora que encontrei em Nova York há apenas uma semana. Secretária de um dos nossos grandes banqueiros internacionais.

Parou ao chegar a uma porta do corredor. A chave estava pendurada na fechadura e, com uma breve batida, o sr. Hamilton Clipp abriu a porta e ficou de lado para que Victoria o precedesse para dentro do quarto.

A sra. Hamilton Clipp estava sentada numa cadeira de espaldar alto perto da janela e levantou-se de um pulo quando eles entraram. Era uma mulherzinha baixa, parecia um passarinho de olhar penetrante. Seu braço direito estava num molde de gesso.

Seu marido apresentou Victoria.

— Veja, tem sido tudo tão infeliz — exclamou a sra. Clipp, sem respiração. — Aí estávamos nós com um itinerário cheio, e apreciando Londres, e todos os nossos planos feitos e minha passagem reservada. Estou indo fazer uma visita à minha filha casada no Iraque, srta. Jones. Faz quase dois anos que não a vejo. E então que acontece? Levo um tombo... na realidade foi na abadia de Westminster, descendo uns degraus de pedra... e aí estava eu. Levaram-me para o hospital às carreiras e colocaram tudo no lugar e, considerando todas as coisas, não me sinto por demais desconfortável... mas aí está. Eu estou um tanto desamparada e, como vou conseguir viajar, não sei. E George está completamente abafado com negócios e simplesmente não pode sair daqui por mais umas três semanas pelo menos. Ele sugeriu que eu levasse uma enfermeira comigo... mas, no final de contas, uma vez que eu esteja lá, não vou precisar de uma enfermeira à minha volta. Sadie pode fazer tudo que for preciso, e isso significa pagar a ela a passagem de volta também, de modo que pensei que iria consultar as agências para ver se encontrava alguém disposta a vir junto apenas pela passagem de ida.

— Não sou exatamente uma enfermeira — disse Victoria, conseguindo causar a impressão de que isso era praticamente o que era. — Mas tive um bocado de experiência de enfermagem — apresentou o primeiro testemunho. — Estive com Lady Cynthia Bradbury por mais de um ano. E, se quiser algum trabalho de correspondência ou de secretária, fui secretária do meu tio por alguns meses. Meu tio — declarou Victoria modestamente — é o bispo de Llangow.

— Então seu tio é bispo. Ora, que interessante.

"Ambos os Clipp estavam", ao que Victoria pensava, "decididamente impressionados. E também deveriam ter ficado depois de todo o trabalho que tinha tido!".

A sra. Hamilton Clipp estendeu ambos os testemunhos ao seu marido.

— Parece realmente tão maravilhoso — disse ela reverentemente. — Bem providencial. É uma resposta à prece.

"E era exatamente o que era", pensou Victoria.

— Vai assumir algum cargo lá? Ou está indo encontrar um parente? — perguntou a sra. Hamilton Clipp.

Na pressa de fabricar testemunhos, Victoria tinha esquecido completamente que teria de prestar contas de suas razões para viajar para Bagdá. Apanhada desprevenida, tinha de improvisar rapidamente. O parágrafo que tinha lido na véspera lhe veio à mente.

— Vou encontrar meu tio lá. Dr. Pauncefoot Jones — explicou.

— Realmente? O arqueólogo?

— Sim. — Por um momento, Victoria cismou que talvez estivesse se munindo de tios famosos em demasia. — Estou terrivelmente interessada em seu trabalho, mas naturalmente não tenho qualificações especiais, de modo que estava fora de cogitação a expedição pagar a minha passagem para lá. Não estão providos de grandes fundos. Mas, se posso ir por conta própria, posso juntar-me a eles e tornar-me útil.

— Deve ser trabalho muito interessante — interpôs o sr. Hamilton Clipp —, e a Mesopotâmia é certamente um grande campo para a arqueologia.

— Temo — disse Victoria, voltando-se para a sra. Clipp — que o meu tio, o bispo, esteja na Escócia neste momento. Mas posso dar-lhe o número do telefone da secretária dele. Ela, no momento, está em Londres. Pimlico 87663: uma das extensões do palácio Fulham. Ela estará lá a qualquer hora (o olhar de Victoria escorregou para o relógio sobre o rebordo da lareira) depois das 11h30, se quiser telefonar-lhe e perguntar-lhe sobre mim.

— Ora, tenho certeza — começou a sra. Clipp, mas seu marido interrompeu.

— O tempo é muito curto, sabe. O avião sai depois de amanhã. Agora, tem um passaporte srta. Jones?

— Sim — Victoria sentiu-se agradecida que, devido a uma pequena viagem de férias para a França no ano anterior, seu passaporte estivesse em dia. — Acrescentou:

— Trouxe-o comigo, caso fosse necessário.

— Isso é que eu chamo de eficiência — disse o sr. Clipp aprovadoramente. Se houvesse qualquer outra candidata em vista, obviamente já não haveria mais. Victoria, com as suas boas recomendações e seus tios e seu passaporte à mão, tinha vitoriosamente conquistado os louros.

— Vai precisar dos vistos necessários — disse o sr. Clipp, tomando o passaporte. Vou até o nosso amigo, sr. Burgeon, no American Express, e ele vai tratar de tudo. Talvez seja melhor passar aqui hoje à tarde, para poder assinar o que for preciso.

Victoria concordou em fazer isso.

Quando a porta do apartamento se fechou por trás dela, escutou a sra. Hamilton dizer ao sr. Hamilton Clipp:

— Uma menina tão boa e direitinha. Nós realmente estamos com sorte.

Victoria teve o decoro de enrubescer.

Voltou ao seu apartamento e ficou grudada no telefone, preparada para assumir o sotaque graciosamente refinado da secretária de um bispo, para o caso de a sra. Clipp querer a confirmação de sua capacidade. Mas a sra. Clipp obviamente tinha ficado tão impressionada pela sua personalidade tão honesta e direta que não iria se incomodar com esses detalhes técnicos. No final das contas, o contrato era apenas por alguns dias como companheira de viagem.

No devido tempo, papéis foram preenchidos e assinados, os vistos necessários foram obtidos, e Victoria recebeu o pedido de passar a última noite no Savoy, de modo a estar à mão para ajudar a sra. Clipp a levantar às sete horas da manhã seguinte para estar no aeroporto de Heathrow.

Capítulo 5

O barco que tinha saído do pântano dois dias antes patinhava suavemente ao longo do Shatt el Arab. A correnteza era rápida, e o velho que o estava manejando tinha de fazer muito pouco. Seus olhos estavam semicerrados. Quase sussurrando, cantava muito suavemente uma cantiga árabe, triste e interminável:

Asri bi lel ya yamali
Hadhi alek ya ibn ali

Dessa forma, em inúmeras outras ocasiões, Abdul Suleiman dos Árabes do Pântano tinha descido o rio até Basrah. Havia outro homem no barco, uma figura comum hoje em dia, com uma mistura patética de Oriente e Ocidente em sua vestimenta. Sobre a camisa comprida de algodão listrado, usava uma túnica cáqui, velha, manchada e rasgada. Uma echarpe vermelha desbotada de malha estava enfiada no casaco esfarrapado. Sua cabeça ostentava de novo a dignidade dos trajes árabes, a *keffyah* em branco e preto, presa pelo *agal* de seda negra. Seus olhos, sem se deter em nenhum ponto particular, fitavam vagamente as margens do rio. Agora ele também cantarolava na mesma clave e no mesmo tom. Era uma figura como milhares de outras figuras na paisagem da Mesopotâmia. Nada indicava que era um inglês e levava consigo um segredo que homens influentes em quase todos os países do mundo estavam empenhados em interceptar e destruir, juntamente com o homem que o carregava.

Sua mente retrocedeu nebulosamente até as últimas semanas. A emboscada na montanha. O frio da neve vindo pelo Passo. A caravana de camelos. Os quatro dias gastos em andar a pé no deserto vazio em companhia de dois homens que levavam um *cinema* portátil. Os dias na barraca negra, e a viagem com a tribo Aneizeh, sua velha amiga. Tudo difícil, tudo permeado de perigo — sempre esbarrando com o cordão estendido para localizá-lo e interceptá-lo.

"Henry Carmichael. Agente britânico. Cerca de trinta anos. Cabelos castanhos, olhos escuros, 1,85m. Fala árabe, curdo, persa, armênio, hindustani, turco e muitos dialetos de montanheses. Amigo das tribos. Perigoso."

Carmichael nasceu em Kashgar, onde seu pai era funcionário do governo. Sua língua de criança tinha balbuciado diversos dialetos e gírias — suas babás, e, mais tarde, seus carregadores, eram nativos de muitas raças diferentes. Tinha amigos em quase todos os lugares selvagens do Oriente Médio.

Só lhe faltavam contatos nas cidades grandes e pequenas. Agora, aproximando-se de Basrah, soube que o momento crítico de sua missão tinha chegado. Mais cedo ou mais tarde, tinha de voltar à zona civilizada. Embora Bagdá fosse seu destino final, ele tinha julgado prudente não se aproximar diretamente. Em cada cidade do Iraque, facilidades estavam à sua espera, cuidadosamente discutidas e arranjadas com muitos meses de antecedência. Tinha sido deixado a seu próprio juízo onde devia, por assim dizer, fazer a sua aterrissagem. Não tinha mandado notícias aos seus superiores, nem mesmo pelos canais indiretos, pelos quais poderia tê-lo feito. Assim era mais seguro. O plano fácil, o avião esperando no lugar de encontro combinado, tinha falhado, como ele havia suspeitado que falharia. Seus inimigos tinham ficado sabendo daquele encontro. Vazamento! Sempre aquele mortífero, incompreensível vazamento.

E foi assim que suas apreensões de perigo cresceram. Aqui em Basrah, à vista da segurança, sentiu-se instintivamente certo de que o perigo seria maior do que durante os azares loucos de sua viagem. E falhar na última estirada, isso nem era bom pensar.

Puxando seus remos ritmicamente, o velho árabe murmurou sem voltar a cabeça:

— O momento se aproxima, meu filho. Alá te favoreça.

— Não demore na cidade, meu pai. Volte aos pântanos. Não gostaria que nada de ruim lhe acontecesse.

— Isso é como Alá dispõe. Está em suas mãos.

— *Inshallah* — repetiu o outro.

Por um momento desejou intensamente ser um homem de sangue oriental, não ocidental. Não se preocupar com as chances de sucesso ou fracasso, não calcular sempre as probabilidades, repetidamente perguntando a si mesmo se tinha pensado sabiamente e com previsão. Pôr a responsabilidade no Todo-Piedoso, o Onisciente.

— *Inshallah*, vou conseguir!

Ao pronunciar essas palavras, ele sentiu que a calma e o fatalismo do país o dominavam e aceitou isso. Agora, em alguns momentos, tinha que sair do abrigo do barco, andar pelas ruas da cidade, arriscar-se ao gume de olhares afiados. Só poderia ter sucesso *sentindo-se* e não apenas parecendo um árabe.

O barco entrou suavemente no canal que se encontrava em ângulo reto com o rio. Ali, toda espécie de embarcação estava amarrada, e outros barcos estavam vindo na frente deles e por trás. Era uma cena adorável, quase veneziana; os barcos com suas proas altas esculpidas e as cores levemente esmaecidas de suas pinturas. Havia centenas deles amarrados perto uns dos outros.

O velho perguntou baixinho:

— Chegou a hora. Foram feitos preparativos para você?

— Sim. Realmente, meus planos estão feitos. Chegou a hora de partir.

— Que Deus torne seu caminho reto e que aumente os anos de sua vida.

Carmichael subiu os degraus de pedra escorregadios que levavam ao ancoradouro.

Em toda a sua volta estavam as costumeiras figuras de beira de cais. Meninos pequenos, vendedores de laranja, agachados ao lado de seus tabuleiros de mercadoria. Quadrados pegajosos de bolos e doces, travessas de cordões de sapato, pentes baratos e pedaços de elástico. Transeuntes contempladores, cuspindo roucamente de tempos em tempos, andando com contas estalando em seus dedos. Do outro lado da rua, onde estavam as lojas e os bancos, *efendis* ocupados estavam caminhando energicamente em ternos europeus de uma tonalidade levemente púrpura. Havia também europeus, tanto ingleses quanto estrangeiros. E, em lugar algum, se viu interesse ou curiosidade porque um dos cinquenta ou mais árabes tinha acabado de subir ao ancoradouro saindo de um barco.

Carmichael caminhava muito calmamente, seus olhos absorvendo a cena com um simples quê de prazer infantil diante do que o cercava. De vez em quando, pigarreava e cuspia, não violentamente demais, apenas para não destoar do quadro. Duas vezes assoou o nariz com os dedos.

E, assim, o estranho que veio para a cidade alcançou a ponte na cabeceira do canal, atravessou-a e dobrou para o *suq*.

Ali, tudo era barulho e movimento. Homens fortes de várias tribos iam passando, empurrando outros para fora de seu caminho; burricos carregados abriam caminho, com seus tropeiros gritando roucamente. *Balek-Balek*... Crianças brigavam e guinchavam, e corriam atrás dos europeus chamando esperançosos: *Bakhsheesh*, madame. *Bakhsheesh. Meskin-meskin*...

Aqui, os produtos orientais e ocidentais estavam igualmente à venda, lado a lado. Panelas de alumínio, xícaras, pires, chaleiras, artigos de cobre batido, prataria de Amara, relógios baratos, canecas de esmalte, bordados e tapetes de padrões alegres da Pérsia. Arcas chapeadas de cobre do Kuwait, casacos e calças de segunda mão e suéteres de lã para crianças. Edredons da região, lâmpadas de vidro pintado, pilhas de moringas e potes de barro. Todo tipo de mercadoria barata da civilização junto com os produtos nativos.

Tudo como de costume. Depois de sua longa estada nos espaços mais selvagens, a azáfama e a confusão pareciam estranhas a Carmichael, mas estava tudo como devia estar: ele não pôde detectar nenhuma nota dissonante, nenhum sinal de interesse pela sua presença. E, no entanto, com o instinto de alguém que tinha conhecido por muitos anos o que significava ser um homem caçado, ele sentiu um desassossego crescente, um vago senso de ameaça. Não conseguiu encontrar nada fora do lugar. Ninguém tinha olhado para ele. Ninguém, ele tinha quase certeza, o estava seguindo ou vigiando. No entanto, ele tinha aquela certeza indefinível de perigo.

Dobrou numa ruela estreita e escura, novamente para a direita, em seguida para a esquerda. Ali, entre as barracas pequenas, chegou à entrada de um *khan* e passou pela porta, dirigindo-se para o pátio. Diversas lojas se encontravam em toda a sua volta. Carmichael foi para uma onde estavam pendurados alguns *ferwahs*, os casacos de pele de carneiro do Norte. Ficou ali, apalpando-os experimentalmente. O proprietário da loja estava oferecendo café a um freguês, um homem alto, de barba, de presença fina, que usava verde em volta de seu fez, mostrando ser um *hadji* que tinha estado em Meca.

Carmichael estava ali, apalpando o *ferwah*.

— *Besh Hadha*? — perguntou ele.

— Sete dinares.

— É caro.

O *hadji* perguntou:

— Vai entregar os tapetes no meu *khan*?

— Sem falta — respondeu o comerciante. — Vai partir amanhã?

— Ao amanhecer, para Kerbela.

— É a minha cidade, Kerbela — disse Carmichael. — Já faz 15 anos desde que vi o túmulo do Hussein.

— É uma cidade sagrada — disse o *hadji*.

O comerciante disse, por sobre o ombro, a Carmichael:

— Há *ferwahs* mais baratos lá dentro.

— Um *ferwah* branco do Norte é do que eu preciso.

— Tenho um assim na sala.

O mercador indicou a porta embutida na parede interna.

O ritual tinha obedecido a um padrão, uma conversa tal como pode ser ouvida qualquer dia em qualquer *suq*, mas a sequência foi exata, as palavras-chave estavam todas ali: Kerbela, *ferwah* branco.

Só que, quando Carmichael passou para atravessar a sala e entrar na parte interna, levantou seu olhar para o rosto do mercador e soube instantaneamente que o rosto não era aquele que esperava ver. Embora tivesse visto esse homem apenas uma vez antes, a sua memória aguçada não falhava. Havia uma semelhança, uma semelhança muito estreita, mas não era o mesmo homem.

Parou. Disse num tom de surpresa leve:

— Onde, então, está Salah Hassan?

— Era meu irmão. Morreu há três dias. Seus negócios estão em minhas mãos.

Sim, provavelmente era um irmão. A semelhança era muito grande. E era possível que o irmão também estivesse empregado pelo departamento. Certamente as reações tinham sido corretas. No entanto, foi com uma percepção aumentada que Carmichael passou para o sombrio aposento interno. Ali também havia mercadoria empilhada sobre prateleiras, cafeteiras e pilões de açúcar de bronze e cobre, prataria persa velha, montes de bordados, roupas, como *abas* dobradas, bandejas esmaltadas de Damasco e jogos para café.

Um *ferwah* branco estava cuidadosamente dobrado sobre uma pequena mesa de café. Carmichael foi até ele e levantou-o. Por baixo, estava um conjunto de roupas europeias, um terno comum usado, ligeiramente espalhafatoso. A carteira com dinheiro e credenciais já se encontravam no bolso do peito. Um árabe desconhecido tinha entrado na loja: o sr. Walter Williams, de Cross & Co., Importadores e Agentes de Despachos, surgiria e teria de cumprir certos compromissos estabelecidos com antecedência. Havia, naturalmente, um verdadeiro sr. Williams — era tudo tão cuidadoso assim — um homem com um passado de negócios aberto e respeitável. Tudo de acordo com o plano. Com um suspiro de alívio, Carmichael começou a desabotoar seu dólmã militar esfarrapado. Estava tudo em ordem.

Se um revólver tivesse sido escolhido como arma, a missão de Carmichael teria terminado ali mesmo. Mas há vantagens numa faca, especialmente a ausência de ruído.

Na prateleira em frente a Carmichael, havia uma grande cafeteira de cobre, e essa cafeteira tinha sido recentemente polida a pedido de um turista americano que viria apanhá-la. O brilho da faca refletiu naquela superfície arredondada: um quadro completo, distorcido mas nítido, estava refletido ali. O homem, esgueirando-se pelas cortinas atrás de Carmichael, a longa faca curva, que tinha acabado de tirar de baixo de suas vestes. Num momento, aquela faca estaria enterrada nas costas de Carmichael.

Como um relâmpago Carmichael se virou. Com um mergulho para as pernas do outro, levou-o ao chão. A faca voou pelo quarto. Carmichael se desvencilhou rapidamente e correu para a outra sala, onde teve um vislumbre do rosto malevolente espantado do mercador e a plácida surpresa do *hadji* gordo. Em seguida, estava do lado de fora, através do *khan*, novamente no *suq* apinhado, indo primeiro para um lugar, voltando em seguida para outro, caminhando novamente agora, não demonstrando pressa num país onde a pressa pareceria incomum.

E, andando assim, quase sem destino, parando para examinar uma peça de fazenda, sentir a tessitura, seu cérebro estava trabalhando com atividade furiosa. A maquinaria tinha quebrado! Mais uma vez, ele estava por sua conta, em país hostil. E estava desagradavelmente consciente do significado do que tinha acabado de acontecer.

Não eram apenas os inimigos no seu rastro que ele tinha de temer. Nem eram os inimigos vigiando sua chegada à civilização. Havia inimigos a temer no sistema. Pois a senha era conhecida, as reações tinham vindo pronta e corretamente. O ataque tinha sido calculado para o exato momento em que ele estaria embalado numa ilusão de segurança. Não era de surpreender, talvez, que houvesse traição internamente. Devia ter sido sempre meta do inimigo introduzir um ou mais de seus homens no sistema. Ou, talvez, comprar o homem de que eles precisavam. Comprar um homem era mais fácil do que se pode pensar: podia-se comprar com outras coisas que não dinheiro.

Bem, não importa como tenha acontecido, aí estava ele fugindo, novamente por sua própria conta. Sem dinheiro, sem a ajuda de uma nova personalidade e tendo sua aparência conhecida. Talvez, neste mesmo momento, estivesse sendo mansamente seguido.

Não virou a cabeça. De que adiantaria? Aqueles que o seguiam não eram novatos no jogo.

Calmamente, sem destino, continuava a passear. Por trás do ar despreocupado, estava revendo várias possibilidades. Saiu finalmente do *suq* e atravessou a pequena ponte sobre o canal. Continuou a andar até que viu a grande tabuleta com o brasão pintado sobre o portal e a legenda: Consulado da Inglaterra.

Olhou a rua para cima e para baixo. Ninguém parecia prestar a mínima atenção a ele. Nada, ao que parecia, era mais fácil do que simplesmente entrar no consulado britânico.

Pensou, um momento, numa ratoeira, uma ratoeira aberta com seu pedaço de queijo provocador. Isso também era simples e fácil para o camundongo.

Bem, tinha de correr o risco. Não via o que mais podia fazer. Entrou pelo portão adentro.

Capítulo 6

Richard Baker estava sentado na antessala do consulado britânico, esperando até que o cônsul estivesse livre.

Tinha desembarcado do *Indian Queen* naquela manhã e passado a sua bagagem pela alfândega. Consistia, quase que completamente, de livros. Pijamas e camisas estavam espalhados entre eles, como uma lembrança de última hora.

O *Indian Queen* tinha chegado no horário, e Richard, que tinha dado uma margem de dois dias, já que barcos de carga pequenos, tais como o *Indian Queen* frequentemente atrasavam, tinha agora dois dias à sua disposição, antes de prosseguir, via Bagdá, para seu destino final, Tell Aswad, onde ficava a antiga cidade de Murik.

Já planejava o que fazer com aqueles dois dias. Uma colina onde supostamente havia antigas ruínas, próxima à praia, no Kuwait, já há muito tinha aguçado a sua curiosidade. Essa era uma oportunidade caída do céu para investigá-la.

Dirigiu-se para o hotel Aeroporto e perguntou como se podia chegar ao Kuwait. Um avião saía às dez horas da manhã seguinte, disseram-lhe, e ele poderia voltar no outro dia. Portanto, não havia problema algum. Havia, naturalmente, as formalidades inevitáveis, visto de saída e visto de entrada para o Kuwait. Para isso, ele teria de ir ao consulado britânico. Richard tinha encontrado o cônsul-geral de Basrah, o sr. Clayton, alguns anos antes, na Pérsia. "Seria agradável", pensou Richard, "vê-lo de novo".

O consulado tinha diversas entradas. Um portão principal para carros. Outro portãozinho saindo do jardim para a estrada que ia ao longo do Shatt el Arab. A entrada de negócios do consulado ficava na rua principal. Richard entrou, deu seu cartão ao funcionário de serviço, recebeu a informação de que o cônsul estava ocupado no momento, mas, em breve, estaria livre e foi levado para uma pequena sala de espera à esquerda da passagem que ia dar diretamente no portão do jardim.

Já havia diversas pessoas na sala de espera. Richard quase não olhou para elas. De qualquer forma, raramente se interessava por membros da raça humana. Um fragmento de cerâmica antiga, para ele, era sempre mais excitante do que um simples ser humano nascido em algum lugar no século XX.

Deixou que seus pensamentos se detivessem agradavelmente sobre alguns aspectos dos caracteres Mari e os movimentos das tribos benjaminitas em 1750 a.C.

Seria difícil dizer exatamente o que o despertou para um senso vívido do presente e de seus companheiros seres humanos. A princípio, era apenas um desassossego, uma sensação de tensão. Começou, achava ele, embora não tivesse certeza disso, pelo nariz. Não era nada que pudesse diagnosticar em termos concretos, mas estava ali, inconfundivelmente, levando-o de volta aos dias da última guerra. Uma ocasião em particular, quando ele e dois outros companheiros tinham saltado de paraquedas de um avião, e tinham esperado nas horas frias antes do crepúsculo para fazerem seu serviço. Um momento em que o moral estava baixo, em que todos os riscos da empresa eram claramente percebidos, um momento de temor de não conseguir fazer a coisa certa, a carne que se encolhia. A mesma coisa acre, intangível, estava no ar.

O cheiro do medo...

Por alguns momentos, foi apenas um registro subconsciente. Metade de sua mente ainda se esforçava para se concentrar no período antes de Cristo, mas o empuxo do presente era forte demais.

Alguém naquela sala estava com um medo mortal...

Olhou em volta. Um árabe numa túnica cáqui esfarrapada, com os dedos indolentemente deslizando sobre as contas de âmbar que segurava nas mãos. Um inglês gorducho com um bigode cinzento — o tipo do viajante comercial — que estava rabiscando números num pequeno caderninho de notas e parecendo absorto e importante. Um jovem de aspecto cansado, de compleição muito escura, que estava recostado numa atitude respeitosa, com a face plácida e desinteressada. Um homem que parecia um empregado iraquiano. Um persa de idade, em roupas esvoaçantes de neve. Todos pareciam bastante preocupados.

O estalo das contas de âmbar assumiu um ritmo definido. Parecia estranhamente familiar. Richard forçou-se para prestar atenção. Tinha estado quase adormecido. Curto-longo-longo-curto. Era Morse; definitivamente o código Morse. Ele estava familiarizado com Morse: parte de seu trabalho na guerra dizia respeito a sinalização. Podia lê-lo com bastante facilidade. CORUJA. F.L.O.R.E.A.T.E.T.O.N.A. Que diabo? Sim, era isso que se repetia: *Floreat Etona.*[4] Batido (ou melhor, estalado) por um árabe andrajoso. Oh, o que seria isso? "Coruja. Eton. Coruja."

Seu próprio apelido em Eton — para onde tinha sido mandado com um par de óculos especialmente grande e sólido.

Olhou para o árabe, notando cada detalhe de sua aparência: a roupa listrada, a velha túnica cáqui, o lenço vermelho esfarrapado, tricotado à mão, cheio de pontos falhados. Uma figura como se viam centenas na beira do cais. Seus olhos encontraram os dele vagamente, sem sinal de reconhecimento. Mas as contas continuaram a estalar.

Faquir aqui. Preste atenção. Encrenca.

Faquir? *Faquir*? Claro! Faquir Carmichael. Um menino que tinha nascido ou que tinha morado em alguma parte estranha do mundo... Turquestão... Afeganistão?

Richard tirou seu cachimbo. Deu uma baforada exploradora, olhou para dentro do recipiente e, em seguida, bateu-o num cinzeiro perto: *Mensagem recebida.*

Depois disso, as coisas aconteceram muito rapidamente. Mais tarde, Richard teve dificuldade em separá-las.

---

4 *Floreat Etona* (que floresça), lema do Colégio de Eton. (N.E.)

O árabe da jaqueta militar esfarrapada levantou-se e encaminhou-se para a porta. Tropeçou quando passou por Richard. Estendeu a mão e agarrou-se a Richard para se levantar. Em seguida, endireitou-se, pediu desculpas e foi em direção à porta.

Foi tão surpreendente e aconteceu com tanta rapidez que pareceu a Richard mais uma cena de cinema que algo da vida real. O viajante comercial gordo deixou cair seu caderninho de notas e puxou alguma coisa do bolso do casaco. Por causa da sua gordura e do casaco apertado, levou um ou dois segundos para tirá-lo e, neste segundo ou dois, Richard entrou em ação. Quando ele sacou o revólver, Richard o arrebatou da mão dele. A arma disparou e uma bala enterrou-se no assoalho.

O árabe tinha saído pela porta e virado para o lado do escritório do cônsul, mas estacou subitamente e, voltando-se, correu rapidamente para o outro lado, para a porta pela qual tinha entrado e saiu para a rua movimentada.

O *kavass* correu na direção de Richard, onde ele estava segurando o braço do homem gordo. Quanto aos outros ocupantes da sala, o empregado iraquiano saltitava excitadamente sobre seus pés, o homem escuro e magro estava olhando, e o persa idoso olhava para o espaço completamente imperturbável.

Richard disse:

— Que diabo está fazendo, brandindo um revólver assim?

Houve uma pausa de apenas um momento, e, em seguida, o homem gordo disse com uma voz lamurienta de *cockney*[5].

— Sinto muito, meu velho. Acidente, absolutamente. Apenas falta de jeito.

— Mentira. Estava querendo atirar naquele árabe que acabou de sair correndo.

---

5 *Cockney* é o sotaque típico dos londrinos do East End, comum especialmente nas áreas mais pobres. A palavra pode também designar os nativos dessa região. (N.T.)

— Não, não, meu velho. Não ia atirar nele. Apenas assustá-lo. Reconheci-o subitamente como um sujeito que me enganou a respeito de umas antiguidades. Apenas um pouco de divertimento.

Richard Baker era uma alma fastidiosa que não gostava de publicidade de qualquer espécie. Seus instintos lhe diziam para aceitar a explicação pelo seu valor nominal. No fim das contas, o que poderia provar? E o velho faquir Carmichael agradeceria por ele fazer tanto espalhafato? Presumivelmente não se ele estivesse metido em algum negócio secreto de capa e espada.

Richard soltou o braço do outro. O sujeito estava suando, conforme notou.

O *kavass* estava falando excitadamente. Estava muito errado, dizia ele, trazer armas de fogo para dentro do consulado britânico. Não era permitido. O cônsul ficaria bastante zangado.

— Peço desculpas — disse o homem gordo. — Foi só um pequeno acidente. — Enfiou algum dinheiro na mão do *kavass*, que o empurrou de volta, indignado.

— Melhor eu sair — disse o homem gordo. — Não vou esperar para ver o cônsul.

Subitamente, estendeu um cartão a Richard:

— Esse sou eu e estou no hotel Aeroporto. Se houver alguma encrenca... mas na realidade, foi puro acidente. Apenas uma piada, se é que sabe o que quero dizer.

Relutantemente, Richard o viu sair da sala com um cambalear indeciso e voltar-se para a rua.

Esperava ter agido certo, mas era difícil saber o que fazer quando se estava no escuro como ele estava.

— O sr. Clayton está à disposição agora — disse o *kavass*. Richard seguiu o homem pelo corredor. O círculo aberto de luz do sol da outra ponta se tornou maior. A sala do cônsul ficava à direita no final da passagem.

O sr. Clayton estava sentado atrás de uma escrivaninha. Era um homem calmo, de cabelos grisalhos, com um rosto pensativo.

— Não sei se lembra de mim — disse Richard. — Conheci-o em Teerã há dois anos.

— Naturalmente. Estava com o dr. Pauncefoot Jones, não é verdade? Está se reunindo a ele novamente este ano?

— Sim, estou a caminho de lá agora, mas tenho alguns dias de sobra e gostaria muito de ir ao Kuwait. Não há dificuldade, presumo?

— Oh, não, há um avião amanhã de manhã. É apenas uma hora e meia. Vou telegrafar a Archie Gaunt... é o residente ali. Ele poderá abrigá-lo, e nós podemos hospedá-lo aqui esta noite.

Richard protestou levemente.

— Realmente... não quero incomodar o senhor nem a sra. Clayton. Posso ir para o hotel.

— O hotel Aeroporto está muito cheio. Ficaremos encantados em tê-lo aqui. Sei que minha mulher gostaria de vê-lo de novo. No momento... deixe-me ver... temos Crosbie, da Companhia de Petróleo, e um jovem, que trabalha para o dr. Rathbone e está aqui para desembarcar algumas caixas de livros na alfândega. Vamos subir para ver Rosa...

Levantou-se e acompanhou Richard pela porta até o jardim ensolarado. Um lance de escada levava às acomodações domésticas do consulado.

Gerald Clayton empurrou a porta no alto dos degraus e fez seu hóspede entrar para um longo corredor escuro com tapetes atraentes no chão e peças de mobília fina de ambos os lados. Era agradável vir para a penumbra fria depois do esplendor de fora.

Clayton chamou:

— Rosa, Rosa — e a sra. Clayton, de quem Richard se lembrava como sendo uma personalidade vivaz com abundante vitalidade, saiu de um quarto no fim do corredor.

— Você se lembra de Richard Baker, querida? Ele veio nos ver com o dr. Pauncefoot Jones, em Teerã.

— Naturalmente — respondeu a sra. Clayton, apertando-lhe a mão.

— Fomos juntos para os bazares, e você comprou uns tapetes adoráveis.

Quando ela mesma não estava comprando coisas, a sra. Clayton se deliciava em insistir com seus amigos e conhecidos para que procurassem pechinchas nos *suqs* locais. Sempre tinha um ótimo senso de valores e era excelente pechincheira.

— Uma das melhores compras que já fiz — disse Richard. — E exclusivamente pelos seus bons ofícios.

— Baker quer voar para o Kuwait amanhã — disse Gerald Clayton. — Eu lhe disse que podemos acomodá-lo aqui por esta noite.

— Mas se for algum incômodo... — começou Richard.

— Claro que não é incômodo — atalhou a sra. Clayton. — Não poderá ficar com o melhor quarto de reserva, porque este o capitão Crosbie já ocupa, mas podemos acomodá-lo com bastante conforto. Não quer comprar algum baú lindo do Kuwait, não é? Porque há uns adoráveis no *suq* justamente agora. Gerald não me deixou comprar outro para cá, embora tivesse sido bastante útil para guardar lençóis extras.

— Você já tem três, querida — interpôs Clayton suavemente.

— Agora, se me permitir, Baker, tenho de voltar ao escritório. Parece ter havido uma confusão na antessala. Parece que alguém disparou um revólver.

— Um dos xeques locais, presumo — disse a sra. Clayton. — Eles são tão nervosos e gostam tanto de armas de fogo.

— Pelo contrário — disse Richard. — Foi um inglês. Sua intenção parecia ser dar um tirinho num árabe — acrescentou, mansamente. — Desviei o braço dele.

— Então você estava metido nisso tudo — comentou Clayton.

— Não tinha percebido. — Retirou um cartão do bolso. — Robert Hall. Fábrica Aquiles, Enfield parece ser o nome dele. Não sei o que queria comigo. Não estava bêbado, estava?

— Ele disse que era uma brincadeira — afirmou Richard secamente — e que a arma disparou por acidente.

Clayton levantou as sobrancelhas.

— Viajantes comerciais não costumam levar armas carregadas em seus bolsos.

"Clayton não era nenhum bobo", pensou Richard.

— Talvez eu devesse tê-lo impedido de escapar.

— É difícil saber o que se deveria ter feito quando essas coisas acontecem. O homem no qual ele atirou não ficou ferido?

— Não.

— Então provavelmente é melhor deixar as coisas como estão.

— O que estava por trás disso?

— É... O que terá sido?

Clayton parecia um pouco desconfortável.

— Bem, tenho de voltar — disse, e apressou-se para sair.

A sra. Clayton levou Richard para a sala de visitas, uma grande sala interna com almofadas e cortinas verdes, e ofereceu-lhe café ou cerveja. Escolheu cerveja, que veio deliciosamente gelada.

Ela perguntou por que estava indo para o Kuwait, e ele lhe disse.

Perguntou-lhe por que não tinha casado ainda, e Richard replicou que achava que não era da espécie casadoura, a que a sra. Clayton respondeu asperamente:

— Bobagem. Arqueólogos — disse ela — dão excelentes maridos... e haveria alguma mulher jovem indo para as escavações nesta temporada?

— Uma ou duas — respondeu Richard — e, naturalmente, a sra. Pauncefoot Jones.

A sra. Clayton perguntou, esperançosa, se havia moças bonitas entre as que estavam indo para lá, e Richard confessou que não sabia, porque ainda não as conhecera. Eram bastante inexperientes, disse ele.

Por alguma razão, isso fez a sra. Clayton rir.

Em seguida, entrou um homem baixo, atarracado, de maneiras abruptas e foi apresentado como o capitão Crosbie. O sr. Baker, disse a sra. Clayton, era um arqueólogo e escavava as coisas mais selvagemente interessantes, de milhares de anos de idade. O capitão Crosbie disse que nunca tinha conseguido compreender como os arqueólogos eram capazes de dizer tão definitivamente que idade tinham essas coisas. Sempre pensara que eram refinados mentirosos, ha, ha, disse o capitão Crosbie. Richard olhou-o de modo extremamente cansado. Não, disse o capitão Crosbie, mas como é que um arqueólogo podia saber que idade tinha uma coisa? Richard disse que isso levaria muito tempo para explicar, e a sra. Clayton rapidamente o afastou dali para mostrar-lhe o quarto onde ficaria.

— Ele é uma boa pessoa — disse a sra. Clayton —, mas nem tanto, sabe? Não tem qualquer ideia de cultura.

Richard achou o quarto extremamente confortável e a sua apreciação da sra. Clayton como hospedeira subiu ainda mais.

Tateando no bolso do seu casaco, tirou um pedaço de papel dobrado e sujo. Olhou-o com surpresa, pois bem sabia que não se encontrava ali antes, pela manhã.

Lembrou-se então de como o árabe o tinha agarrado quando tropeçara. Um homem de dedos ligeiros poderia tê-lo enfiado em seu bolso sem que se apercebesse disso.

Alisou o papel. Estava sujo e parecia ter sido dobrado e redobrado diversas vezes.

Em seis linhas de escrita um tanto amontoada, o major John Wilberforce recomendava um certo Ahmed Mohammed como um trabalhador zeloso e dócil, capaz de dirigir um caminhão, estritamente honesto. Era, de fato, o tipo costumeiro de *papel* ou recomendação dada no Oriente. Estava datado de 18 meses atrás, o que também não era fora do comum, pois esses papéis são guardados zelosamente pelos seus proprietários.

Franzindo as sobrancelhas, Richard repassou os acontecimentos da manhã de maneira precisa e ordenada.

Agora, não tinha dúvida: o faquir Carmichael estava com um medo mortal. Era um homem caçado e tinha-se introduzido no consulado. Por quê? Para encontrar segurança? Mas, em lugar disso, tinha encontrado uma ameaça mais instantânea. O inimigo, ou um representante do inimigo, estava à sua espera. Esse sujeito, viajante comercial, deve ter tido ordens bem definidas para estar disposto a arriscar-se atirando em Carmichael no consulado, na presença de testemunhas. Devia, então, ser coisa muito urgente. E Carmichael tinha apelado ao seu velho companheiro de escola e conseguido passar para ele este documento aparentemente inocente. Devia ser algo muito importante e, se os inimigos de Carmichael dessem com ele e descobrissem que não possuía mais o documento, sem dúvida juntariam dois mais dois, e procurariam qualquer pessoa ou pessoas a quem Carmichael poderia tê-lo passado.

O que, então, Richard Baker devia fazer com ele?

Poderia passá-lo para Clayton, como o representante de Sua Majestade Britânica.

Ou poderia ficar com ele até que Carmichael o reclamasse? Depois de alguns minutos de reflexão, optou pela última hipótese.

Mas, antes disso, tomou algumas precauções.

Arrancando uma meia folha de uma carta velha, sentou-se para compor uma carta de referência para um motorista de caminhão em termos idênticos, mas usando expressões diversas — se essa mensagem fosse em código, isso daria conta dele —, embora naturalmente fosse possível que houvesse uma mensagem escrita ali com qualquer espécie de tinta invisível.

Em seguida, lambuzou a sua própria composição com poeira de seus sapatos — esfregou em suas mãos, dobrou e redobrou-a, até que ela ficou com uma aparência razoável de idade e sujeira.

Depois amassou-a e enfiou-a no bolso. Ficou olhando por algum tempo para o original enquanto pensava e rejeitava várias possibilidades.

Finalmente, com um ligeiro sorriso, dobrou-a e redobrou-a até que se tornasse um pequeno objeto oblongo. Em seguida, tomando um pedaço de plasticina (sem a qual nunca viajava) da sua mala, primeiro embrulhou seu pacote num plástico impermeável de seu nécessaire; em seguida, encerrou-o em plasticina. Feito isso, enrolou e alisou a plasticina até obter uma superfície lisa onde colocou a impressão de um selo cilíndrico que tinha consigo.

Estudou o resultado avaliando-o severamente.

Mostrava um desenho lindamente esculpido do Deus Sol Shamash, armado com a Espada da Justiça.

— Esperemos que isso seja um bom presságio — disse para si mesmo.

Nesta noite, quando procurou no bolso do casaco que tinha usado pela manhã, o rolo de papel tinha sumido.

Capítulo 7

"A vida", pensou Victoria, "enfim a vida!" Sentada em seu lugar no terminal aéreo, chegou o momento mágico em que eram pronunciadas as palavras: "Passageiros para o Cairo, Bagdá e Teerã, tomem seus lugares no ônibus, por favor."

Nomes mágicos, palavras mágicas. Despidas de encanto para a sra. Hamilton Clipp que, até onde Victoria pôde perceber, tinha passado grande parte de sua vida pulando de barcos para aviões e de aviões para trens, com breves intervalos intercalados em hotéis caros. Mas, para Victoria, elas eram uma mudança maravilhosa das frases frequentemente repetidas: "Tome nota disso, por favor, srta. Jones." "Esta carta está cheia de erros. Terá que batê-la de novo, srta. Jones." "A chaleira está fervendo, bolas, faça o chá, sim." "Sei onde pode conseguir uma permanente maravilhosa." Acontecimentos maçantes do trivial diário! E agora: Cairo, Bagdá, Teerã, todo o romance do Oriente glorioso (e, para completar, Edward...).

Victoria voltou à terra para escutar a sua empregadora, que já tinha diagnosticado como faladora incansável, concluir uma série de observações dizendo:

— ...e nada realmente limpo, se é que você me entende. Sempre tomo muito cuidado com o que como. Você não acreditaria na sujeira das ruas e dos bazares. E os trapos anti-higiênicos que o povo usa. E algumas das toaletes... Ora, não se poderia chamá-las de toaletes!

Victoria escutava atenciosamente esses comentários deprimentes, mas seu próprio sentimento de encanto permaneceu intocado.

Sujeira e germes nada significavam em sua juventude. Chegaram a Heathrow, e ela ajudou a sra. Clipp a saltar do ônibus. Já estava encarregada dos passaportes, bilhetes, dinheiro etc.

— Céus! É certamente um conforto tê-la comigo, srta. Jones. Simplesmente não sei o que faria se tivesse de viajar sozinha.

"Viajar de avião", pensou Victoria, "era meio como ser levada a uma excursão da escola." Professoras enérgicas, gentis mas firmes, estavam à mão para pastoreá-la a toda hora. Comissárias de bordo, em uniformes alinhados, com a autoridade de governantas de jardim de infância tratando de crianças retardadas mentais, explicavam gentilmente exatamente o que você deveria fazer. Victoria quase esperava que começassem seus comentários com: "Agora, crianças..."

Atrás de escrivaninhas, jovens cavalheiros de aspecto cansado estendiam mãos fatigadas para verificarem passaportes, para perguntarem intimamente sobre dinheiro e joias. Conseguiram incutir um sentimento de culpa nos questionados. Victoria, sugestionável por natureza, sentiu uma vontade súbita de descrever o seu mirrado broche como uma tiara de brilhantes de dez mil libras, apenas para ver a expressão no rosto do jovem entediado. A lembrança de Edward a conteve.

Passadas as várias barreiras, sentaram-se para esperar mais uma vez numa ampla sala que dava diretamente para a pista de voo. Do lado de fora, o ruído de um avião com os motores esquentando dava o fundo apropriado. A sra. Hamilton Clipp agora estava alegremente ocupada em fazer comentários ligeiros sobre os seus companheiros de viagem.

— Aquelas duas criancinhas não são fofíssimas? Mas que maçada viajar sozinha com um par de crianças. Acho que são inglesas. A mãe está vestindo um costume bem cortado. Mas ela parece um tanto cansada. Aquele homem é bonito... parece latino, eu diria. Que xadrez berrante que aquele homem está usando... eu diria de muito mau gosto. Negócios, acho. Aquele homem ali é holandês. Estava bem na nossa frente nos controles. Aquela família lá é ou persa ou turca, eu diria. Parece não haver americanos. Acho que em sua maioria viajam pela Pan American. Eu diria que aqueles três homens conversando são do ramo do petróleo, você não acha? Adoro olhar para as pessoas e especular a respeito delas. O sr. Clipp me diz que tenho uma verdadeira queda pela natureza humana. Para mim parece apenas natural ter um interesse nas outras criaturas. Você não diria que aquele casaco de arminho vale cada centavo dos três mil dólares que deve custar?

A sra. Clipp suspirou. Tendo devidamente avaliado seus companheiros de viagem, ela foi ficando inquieta.

— Gostaria de saber o que estamos esperando. Aquele avião já esquentou os motores quatro vezes. Estamos todos aqui. Por que é que eles não andam com as coisas? Certamente não estão cumprindo o horário.

— A senhora gostaria de uma xícara de café, sra. Clipp? Estou vendo que há um bufê no fundo da sala.

— Ora, não, obrigada, srta. Jones. Tomei café antes de sair, e o meu estômago está um tanto embrulhado agora para tomar qualquer outra coisa mais. Por que estamos esperando, gostaria de saber?

Sua pergunta pareceu respondida quase antes das palavras saírem de sua boca.

A porta que levava do corredor para fora do departamento de alfândega e de passaportes abriu-se com ruído, e um homem alto passou por ali com o efeito de uma lufada de vento. Funcionários da linha aérea o circundavam. Dois grandes sacos selados de lona eram carregados por um funcionário da BOAC.

A sra. Clipp endireitou-se, entusiasmada.

— Ele é certamente alguém importante — comentou.

"E sabe disso", pensou Victoria.

Houve algo como sensacionalismo calculado a respeito do viajante atrasado. Ele vestia uma espécie de manta de viagem cinza, com um largo capuz nas costas. Em sua cabeça estava o que, em essência, era um chapelão, mas de um cinza claro. Tinha cabelos encaracolados cinza prateado, bastante compridos, e um lindo bigode cinzento prateado de pontas enroladas para cima. O efeito era de um bonito bandido de palco. Victoria, que desprezava homens teatrais que faziam pose, olhou-o com desaprovação.

Os funcionários aéreos estavam, como ela notava com desprazer, em toda a sua volta.

"Sim, Sir Rupert." "Naturalmente, Sir Rupert." "O avião sai imediatamente, Sir Rupert."

Com um ruflar de sua capa volumosa, Sir Rupert passou pela porta que levava à pista de voo. A porta fechou-se por detrás dele com veemência.

— Sir Rupert — murmurou a sra. Clipp. — Ora, quem seria ele?

Victoria meneou a cabeça, embora tivesse uma ligeira sensação de que o rosto e a aparência geral não lhe eram desconhecidos.

— Alguém importante em seu governo — sugeriu a sra. Clipp.

— Acho que não — respondeu Victoria.

Os poucos membros do governo que já havia visto a tinham impressionado mais como homens ansiosos para pedirem desculpas por estar vivos. Somente nos palanques é que assumiam uma vida pomposa e didática.

— Agora, por favor — disse a alinhada babá-aeromoça. — Tomem seus lugares no avião. Por aqui. O mais rápido que puderem.

A sua atitude sugeria que uma porção de crianças levadas tinham feito os adultos pacientes esperar.

Todo o mundo passava em fila para a pista de voo.

O grande avião estava esperando, seus motores zumbindo como o ronronar satisfeito de um leão gigante.

Victoria e um comissário ajudaram a sra. Clipp a subir a bordo e instalaram-na em seu assento. Victoria sentou-se ao seu lado, no corredor. Só depois que a sra. Clipp estava confortavelmente instalada e Victoria tinha apertado seu cinto de segurança, a moça teve a oportunidade de observar que à frente delas estava sentado o grande homem.

As portas se fecharam. Alguns segundos mais tarde, o avião começou a mover-se lentamente no solo.

"Estamos indo de verdade", pensou Victoria em êxtase. "Oh, não é assustador? Suponha que nunca saia do solo? Realmente eu não sei como pode!"

Durante o que pareceu um século, o avião taxiou pela pista, em seguida guinou lentamente e parou. Os motores aumentaram para um barulho feroz. Foram distribuídos goma de mascar, açúcar de cevada e algodão para tapar os ouvidos.

Mais e mais ruidoso, mais e mais feroz. Em seguida, mais uma vez, o avião moveu-se para a frente. Aos pouquinhos primeiro, depois mais rápido — mais rápido ainda — e lá estavam eles chispando pelo solo.

"Nunca subirá", pensou Victoria. "Vamos morrer..."

Mais depressa... mais suave... sem solavancos... sem pulos... estavam livres do solo, para a frente, para cima, uma volta, de novo sobre o estacionamento de carros e a estrada principal, para cima, mais alto... um trenzinho bobo fumegando lá embaixo... casas de bonecas... carros de brinquedo em estradas... ainda mais alto... e subitamente a terra lá embaixo perdia o interesse, não era mais humana ou viva, apenas um grande mapa plano com linhas e círculos e pontos.

Dentro do avião as pessoas desamarravam seus cintos de segurança, acendiam cigarros, abriam revistas. Victoria estava num mundo novo — um mundo de tantos pés de comprimento e apenas uns poucos pés de largura, habitado por cerca de vinte a trinta pessoas. Nada mais existia.

Olhou para fora da pequena janelinha de novo. Abaixo dela estavam nuvens, um pavimento fofo de nuvens. O avião estava no sol. Abaixo das nuvens, em qualquer lugar, estava o mundo que ela havia conhecido até então.

Victoria se refez. A sra. Hamilton Clipp estava falando. Victoria tirou o algodão do ouvido e inclinou-se atentamente para ela.

No assento à sua frente, Sir Rupert levantou-se, jogou seu chapéu de feltro de abas largas para a prateleira, levantou o capuz por sobre a cabeça e relaxou.

"Asno pomposo", pensou Victoria, irrazoavelmente imbuída de prevenção.

A sra. Clipp estava acomodada com uma revista aberta à sua frente. Em intervalos cutucava Victoria, quando tentando virar a página com uma mão, a revista escorregava.

Victoria olhou à sua volta. Concluiu que viagens aéreas eram, na realidade, bem maçantes. Abriu uma revista e encontrou-se diante de um anúncio que dizia: "Quer aumentar a sua eficiência como estenodatilógrafa?" Estremeceu, fechou a revista, recostou-se e começou a pensar em Edward.

Aterrissaram no aeroporto Castel Benito debaixo de chuva. Victoria agora estava-se sentindo ligeiramente mal e reunia todas as suas energias para cumprir as suas obrigações perante a sua empregadora. Às pressas foram levadas para o hotel. O magnífico Sir Rupert, notou Victoria, estava sendo esperado por um oficial de uniforme com alamares vermelhos e foi conduzido por um carro do Estado-Maior para alguma residência dos poderosos na Tripolitânia.

Receberam quartos. Victoria ajudou a sra. Clipp com a sua toalete e deixou-a descansando na cama, de *peignoir*, até que fosse hora do jantar. Retirou-se então para seu próprio quarto, deitou-se e fechou os olhos, grata por ter sido poupada da visão do assoalho arquejante, que afundava.

Acordou uma hora mais tarde sentindo-se bem disposta e foi ajudar a sra. Clipp. Em pouco tempo, uma aeromoça um tanto autoritária veio anunciar que os carros estavam prontos para levá-las ao jantar.

Depois do jantar, a sra. Clipp começou a conversar com alguns de seus companheiros de viagem. O homem do casaco de xadrez gritante parecia ter se interessado por Victoria e contou-lhe detalhadamente tudo sobre a fabricação de lápis.

Mais tarde, foram levadas de volta às suas acomodações e instruídas secamente que deveriam estar prontas para partir às 5h30 da manhã seguinte.

— Não vimos muita coisa da Tripolitânia, não é? — disse Victoria extremamente triste. — Viagens aéreas são sempre assim?

— Ora, sim. Diria que sim. É definitivamente sádica a maneira pela qual eles nos fazem levantar pela manhã. Depois disso, frequentemente lhe deixam ficar mofando no aeroporto por uma ou duas horas. Ora, lembro-me que em Roma nos chamaram às 3h30. Café da manhã no restaurante às quatro horas. E, em seguida, na realidade, não saímos antes das oito. No entanto, a grande vantagem é que a levam ao seu destino logo, sem delongas pelo caminho.

Victoria suspirou. Ela bem que teria gostado de um bocado de delongas. Queria era ver o mundo.

— E que acha você, minha cara — continuou a sra. Clipp excitadamente —, sabe aquele homem de aspecto interessante? O inglês? Aquele que causou toda aquela comoção? Descobri quem ele é. É Sir Rupert Crofton Lee, o grande viajante. É claro que você já ouviu falar dele.

Sim, Victoria lembrava agora. Tinha visto diversas fotografias nos jornais há uns seis meses. Sir Rupert era uma grande autoridade sobre o interior da China. Era uma das poucas pessoas que tinham estado no Tibete e visitado Lhasa. Tinha viajado pelas partes desconhecidas do Cordistão e da Ásia Menor. Seus livros tinham tido ampla vendagem, porque tinham sido escritos audaciosamente e com humor. Se Sir Rupert era evidentemente um exibicionista, era por uma boa razão. Não fazia reivindicações que não fossem inteiramente justificadas. A capa com o capuz e o chapéu de abas largas eram, Victoria lembrava agora, uma moda deliberada de sua própria escolha.

— Não é emocionante? — perguntava a sra. Clipp com todo o entusiasmo de um caçador de leões, enquanto Victoria ajustava as roupas de cama à sua volta.

Victoria concordava que isso era emocionante, mas dizia a si mesma que preferia os livros de Sir Rupert à sua personalidade. A seu ver, ele era o que as crianças chamam de "um exibido".

A partida na manhã seguinte foi feita em boa ordem. O tempo tinha clareado e o sol estava brilhando. Victoria ainda se sentia desapontada por ter visto tão pouco da Tripolitânia. No entanto, o avião devia chegar ao Cairo na hora do almoço, e a saída para Bagdá não aconteceria antes da manhã seguinte, de modo que ela poderia ver um pouco do Egito à tarde.

Estavam sobrevoando o mar, mas nuvens em breve bloquearam a vista da água azul, e Victoria reclinou-se em seu assento com um bocejo. Na frente dela, Sir Rupert já estava dormindo. O capuz tinha caído para trás de sua cabeça, que estava pendurada para a frente, cabeceando a intervalos. Victoria observou, com um ligeiro prazer malicioso, que havia um pequeno furúnculo começando na sua nuca. Por que ela deveria ter ficado satisfeita com esse fato era difícil dizer — talvez isso fizesse o grande homem mais humano e vulnerável.

Ele era, afinal de contas, como os outros homens, sujeito aos pequenos aborrecimentos carnais. Pode-se dizer que Sir Rupert tinha conservado suas maneiras olímpicas e não tinha tomado conhecimento da existência de seus companheiros de viagem.

"Gostaria de saber quem ele pensa que é", pensou Victoria. A resposta era óbvia. Ele era Sir Rupert Crofton Lee, uma celebridade, e ela era Victoria Jones, uma estenodatilógrafa insignificante e sem nenhuma importância.

Chegando ao Cairo, Victoria e a sra. Hamilton Clipp almoçaram juntas. A última anunciou, então, que estava indo tirar um cochilo até às seis horas e sugeriu que Victoria poderia gostar de ir visitar as pirâmides.

— Fiz arranjos para um carro para você, srta. Jones, porque sei que, de acordo com os dispositivos de seu governo, não poderá trocar dinheiro aqui.

Victoria, que de qualquer forma não tinha dinheiro para trocar, estava devidamente agradecida e disse isso com alguma efusão.

— Ora, isso não é nada. Você tem sido tão, tão gentil comigo. E, viajando com dólares, tudo é fácil para nós. A sra. Kitchin — a senhora com duas crianças engraçadinhas — também está ansiosa por ir, e sugeri que você se juntasse a ela... se é que está de acordo?

Desde que pudesse ver o mundo, tudo estava bem para Victoria.

— Ótimo. Então é melhor você ir andando agora mesmo.

A tarde nas pirâmides foi devidamente desfrutada. Victoria, embora gostasse razoavelmente de crianças, poderia ter aproveitado mais sem os rebeldes da sra. Kitchin. Quando se vai dar um passeio turístico, crianças tendem a ser um empecilho. A criança mais nova ficou tão manhosa que as duas mulheres voltaram de sua expedição antes do que tinham planejado.

Victoria atirou-se na cama com um bocejo. Desejava muito poder ficar uma semana no Cairo, talvez subir o

Nilo. "E com que dinheiro, minha filha?", perguntava-se a si mesma, desanimada. Já era um milagre que estivesse sendo transportada para Bagdá de graça.

"E o que", perguntava uma voz fria interior, "você vai fazer quando tiver chegado a Bagdá com somente algumas libras no bolso?".

Victoria afugentou essa pergunta. Edward tinha de encontrar um emprego para ela. Ou, se isso falhasse, ela mesma encontraria um emprego. Por que preocupar-se?

Seus olhos, ofuscados pela luz do sol, fecharam-se suavemente. Uma batida à porta, ao que pensava, despertou-a. Respondeu:

— Entre. — Em seguida, como não houvesse resposta, levantou-se da cama, foi até a porta e abriu-a.

Mas a batida não tinha sido na porta dela, mas na porta seguinte, corredor abaixo. Outra das inevitáveis comissárias de bordo, de cabelos escuros e alinhada em seu uniforme, estava batendo à porta de Sir Rupert Crofton Lee. Ele a abriu justamente quando Victoria estava olhando para fora.

— E que é que há agora?

Parecia aborrecido e sonolento.

— Sinto muito incomodá-lo, Sir Rupert — gorjeou a aeromoça. — Mas poderia descer até o escritório da BOAC? É a terceira porta aqui no corredor. Apenas um pequeno detalhe a respeito do voo para Bagdá amanhã.

— Oh, muito bem.

Victoria retirou-se para o seu quarto. Estava menos sonolenta agora. Olhou para seu relógio. Apenas 16h30. Ainda uma hora e meia antes que a sra. Clipp precisasse dela. Decidiu sair e andar por Heliópolis. Para andar, pelo menos, não precisava de dinheiro.

Empoou o nariz e calçou os sapatos de novo. Pareciam bem desconfortáveis. A visita às pirâmides tinha sido um castigo para seus pés.

Saiu de seu quarto e andou ao longo do corredor em direção ao *hall* principal do hotel. Três portas adiante, passou pelo escritório da BOAC. Tinha apenas um cartão anunciando o fato pregado à porta. Justamente quando passava por ela, a porta se abriu e Sir Rupert saiu. Ele estava andando depressa e, em algumas passadas, deixou-a para trás. Continuou à frente dela, capa esvoaçante, e Victoria imaginou que ele estivesse aborrecido a respeito de alguma coisa.

A sra. Clipp estava com disposição um tanto petulante quando Victoria se apresentou para o serviço às seis horas.

— Estou preocupada com meu excesso de bagagem, srta. Jones. Supunha que estava paga para o caminho todo, mas parece que está paga somente até o Cairo. Nós continuamos amanhã pela Iraqui Airways. Meu bilhete é um bilhete direto, mas não o excesso de bagagem. Será que você poderia descobrir se é realmente assim? Porque pode ser que eu precise trocar outro *traveller's cheque*.

Victoria concordou em fazer indagações. Não conseguiu encontrar o escritório da BOAC logo e, finalmente, localizou-o no corredor do outro lado do *hall*, um escritório bem grande. O outro, supunha, tinha sido um cômodo pequeno usado apenas durante as horas da *siesta* depois do almoço. Os temores da sra. Clipp a respeito do excesso de bagagem eram justificados, o que a aborreceu bastante.

Capítulo 8

No quinto andar de uma quadra de escritórios na Cidade de Londres estão os escritórios da Companhia de Gramofones Valhalla. O homem que estava atrás da escrivaninha naquele escritório estava lendo um livro sobre economia. O telefone tocou, e ele levantou o fone. Disse numa voz calma e sem emoção:

— Companhia de Gramofones Valhalla.

— Aqui é Sanders.

— Sanders do rio? Que rio?

— Rio Tigre. Relatório sobre A.S. Nós a perdemos.

Houve um momento de silêncio. Em seguida, a voz calma falou de novo, com uma nota de aço.

— Será que escutei corretamente o que disse?

— Perdemos Anna Scheele.

— Sem nomes. Isso é um erro muito sério de sua parte. Como foi que aconteceu?

— Foi para aquela casa de saúde. Eu lhe disse antes. A irmã dela ia ser operada.

— Sim?

— A operação foi realizada. Esperávamos A.S. voltar para o Savoy. Ela tinha conservado a sua suíte. Não voltou. Tinha sido vigiada na casa de saúde, e tínhamos certeza de que não havia saído de lá. Presumimos que ainda estivesse ali.

— E não está?

— Acabamos de descobrir. Saiu de lá, numa ambulância, no dia seguinte ao da operação.

— Ela os enganou deliberadamente?

— Parece. Eu juraria que ela não sabia que estava sendo seguida. Tomamos todas as precauções. Havia três de nós e...

— Esqueça as desculpas. Onde foi que a ambulância a levou?

— Ao hospital Colégio Universitário.

— O que descobriu no hospital?

— Que chegou uma paciente acompanhada por uma enfermeira do hospital. A enfermeira do hospital deve ter sido Anna Scheele. Eles não têm ideia de onde ela poderá ter ido depois que trouxe a paciente.

— E a paciente?

— Não sabe de nada. Estava sob efeito de morfina.

— De modo que Anna Scheele saiu do hospital Colégio Universitário vestida como enfermeira e agora pode estar em qualquer lugar?

— Sim. Se voltar para o Savoy...

O outro interrompeu.

— Não vai voltar ao Savoy.

— Devemos verificar em outros hotéis?

— Sim, mas duvido que obtenham algum resultado. É isso que ela esperaria que vocês fizessem.

— Tem outras instruções?

— Verifique nos portos: Dover, Folkestone etc. Verifique nas companhias aéreas. Verifique particularmente todas as reservas para Bagdá por avião para a próxima quinzena. A passagem não estará reservada em seu próprio nome. Verifique todos os passageiros de idade adequada.

— Sua bagagem ainda está no Savoy. Talvez ela a mande buscar.

— Não vai fazer nada disso. Você pode ser um trouxa, mas ela não é! A irmã sabe de alguma coisa?

— Estamos em contato com a sua enfermeira particular em casa. Aparentemente a irmã pensa que A.S. está em Paris tratando de negócios para Morganthal e hospedada no Ritz Hotel. Acredita que A.S. irá voar de volta aos Estados Unidos no dia 23.

— Em outras palavras, A.S. nada lhe contou. Ela não o faria. Verifique aquelas passagens aéreas. É a única esperança. Ela tem de ir a Bagdá... e pelo ar é a única maneira de fazer isso a tempo e, Sanders...

— Sim?

— Sem fracassos. Esta é a sua última chance.

Capítulo 9

O jovem sr. Shrivenham, da Embaixada Britânica, passou o peso de um pé para o outro, olhando para cima enquanto o avião sobrevoava o aeroporto de Bagdá. Uma considerável tempestade de poeira estava redemoinhando. Palmeiras, árvores, seres humanos, tudo estava amortalhado numa densa cortina marrom. Tinha acontecido bem de repente.

Lionel Shrivenham observou num tom de profundo aborrecimento:

— Dez contra um que não vão poder descer aqui.

— Que irão fazer? — perguntou seu amigo Harold.

— Continuar para Basrah, acho. Ouvi dizer que lá o tempo está bom.

— Você deve encontrar com alguma espécie de VIP, não é?

O jovem sr. Shrivenham grunhiu novamente.

— Tinha que ser comigo! O novo embaixador foi atrasado na saída. Lansdowne, o conselheiro, está na Inglaterra. Rice, o conselheiro oriental, está doente, de cama com *influenza* gástrica, temperatura perigosamente elevada. Best está em Teerã, e aqui estou eu, com toda a coleção dos abacaxis. O movimento acerca desse camarada não para. Não sei por quê. Mesmo os rapazes do serviço secreto estão no maior alvoroço. É um desses viajantes do mundo, sempre de partida para algum lugar inacessível, nas costas de um camelo. Não sei por que é tão importante assim, mas ao que tudo indica ele é decididamente o figurão, e tenho de obedecer ao seu menor desejo. Se for levado para Basrah, provavelmente ficará danado da vida. Não sei que arranjos eu poderia fazer. Trem para lá hoje à noite? Ou arranjar para a RAF levá-lo de avião amanhã?

O sr. Shrivenham suspirou novamente, enquanto a sensação de ofensa e responsabilidade aumentava ainda mais. Desde a sua chegada a Bagdá, há três meses, tinha estado constantemente com falta de sorte. Sentia que mais uma reprimenda jogaria por terra o que poderia ter sido uma carreira promissora.

O avião passou mais uma vez por sobre as cabeças.

— Evidentemente pensa que não vai conseguir — disse Shrivenham e, em seguida, acrescentou, animado: — Ora, ora! Acho que está baixando.

Alguns momentos mais tarde e o avião tinha taxiado calmamente para o seu lugar e Shrivenham ficou a postos para cumprimentar o VIP.

Seu olhar não profissional notou "uma pequena bem bonita..." antes de ele pular para a frente para cumprimentar a figura semelhante a um bucaneiro de capa esvoaçante.

"Praticamente uma fantasia", pensou consigo mesmo desaprovadoramente, enquanto em voz alta dizia:

— Sir Rupert Crofton Lee? Sou Shrivenham, da embaixada. "Sir Rupert", pensou, "era ligeiramente seco de maneiras", o que talvez fosse compreensível depois do esforço de circular por sobre a cidade sem saber se a aterrissagem poderia ser efetuada ou não.

— Dia feio — continuou Shrivenham. — Tivemos uma porção dessas este ano. Ah, o senhor já está com as malas. Então, se quiser me seguir, senhor, está tudo arranjado...

Quando saíram do aeroporto no carro, Shrivenham disse:

— Por um instante, pensei que o senhor seria levado para algum outro aeroporto. Não parecia que o piloto fosse conseguir aterrissar. Esta tempestade de poeira apareceu de repente.

Sir Rupert inflou as bochechas de maneira importante, ao comentar:

— Isso teria sido desastroso... bastante desastroso. Se meu programa tivesse sido prejudicado, meu jovem, eu lhe digo que os resultados teriam sido graves e de grande alcance.

"Bobagem", pensou Shrivenham desrespeitosamente. "Esses VIPs pensam que seus negócios malucos são o que faz o mundo girar."

Em voz alta disse respeitosamente:

— Acho que sim, senhor.

— Tem alguma ideia de quando o embaixador vai chegar a Bagdá?

— Não há nada definido, senhor.

— Ficarei triste se não me encontrar com ele. Não o vejo desde... deixe-me ver, sim, Índia, em 1938.

Shrivenham guardou um silêncio respeitoso.

— Deixe-me ver, Rice está aqui, não é?

— Sim, senhor, é o conselheiro oriental.

— Sujeito capaz. Sabe uma porção de coisas. Ficarei contente em vê-lo de novo.

Shrivenham tossiu.

— Na realidade, senhor, Rice está no rol dos doentes. Foi levado ao hospital para observação. Tipo violento de gastrenterite. Algo um pouco pior do que a costumeira barriga de Bagdá, aparentemente.

— Que é isso? — Sir Rupert voltou sua cabeça de supetão. — Uma gastrenterite grave... hum. Veio de repente, não foi?

— Anteontem, senhor.

Sir Rupert estava franzindo as sobrancelhas. A grandiloquência de maneiras extremamente afetada abandonou-o. Era um homem mais simples, e um tanto mais preocupado.

— Será... — disse. — É, quem sabe? — Shrivenham parecia polidamente inquiridor.

— Será que — disse Sir Rupert — não seria um caso de Verde de Scheele...

Embatucado, Shrivenham conservou-se em silêncio.

Estavam justamente se aproximando da ponte Feisal, e o carro dobrou à esquerda, em direção à Embaixada Britânica.

Subitamente, Sir Rupert inclinou-se para a frente.

— Pare um minuto, sim? — comandou rispidamente. — Sim, do lado direito. Onde estão todos aqueles potes.

O carro encostou no meio-fio direito e parou. Era uma pequena loja nativa com altas pilhas de potes de barro cru brancos e jarras de água.

Um europeu baixo e atarracado, que tinha estado falando com o proprietário, afastou-se em direção à ponte, quando o carro parou. Shrivenham achou que era Crosbie da I & P, que ele tinha encontrado uma ou duas vezes.

Sir Rupert saltou do carro e foi para a pequena cabina. Levantando um dos potes começou uma rápida conversação em árabe com o proprietário. O fluxo da conversa era rápido demais para Shrivenham, cujo árabe ainda era lento e laborioso e nitidamente limitado em vocabulário.

O proprietário estava sorridente, seus braços abriam-se largamente, gesticulava, explicava com detalhes. Sir Rupert pegava diferentes potes, aparentemente fazendo perguntas a respeito deles. Finalmente selecionou uma jarra de água, de boca estreita, jogou algumas moedas ao homem e voltou para o carro.

— Técnica interessante — comentou Sir Rupert. — Vêm fazendo-as assim por milhares de anos; têm a mesma forma encontrada num dos distritos das montanhas da Armênia.

Seu dedo escorregou para dentro da abertura estreita, torcendo e torcendo em volta.

— É coisa muito rudimentar — disse Shrivenham, nada impressionado.

— Oh! Nenhum mérito artístico! Mas historicamente interessante. Veja essas indicações de alças aqui! Conseguem-se muitas indicações históricas pela observação das coisas simples de uso diário. Tenho uma coleção delas.

O carro entrou pelos portões da Embaixada Britânica.

Sir Rupert queria ser levado imediatamente para seu quarto. Shrivenham achou engraçado que, terminada a preleção sobre o pote de barro, Sir Rupert o tenha deixado despreocupadamente no carro. Shrivenham fez questão de levá-lo para cima e colocá-lo meticulosamente sobre a mesinha de cabeceira de Sir Rupert.

— Seu pote, senhor.

— Eh? Oh, obrigado, meu rapaz.

Sir Rupert parecia distraído. Shrivenham o deixou depois de repetir que o almoço estaria pronto logo a seguir e que bebidas aguardavam a sua escolha.

Quando o jovem deixou o quarto, Sir Rupert foi para a janela e desdobrou o pequeno pedaço de papel que tinha estado enfiado na boca do pote. Alisou-o. Havia duas linhas escritas nele. Leu-as cuidadosamente, em seguida tocou fogo no papel com um fósforo.

Depois, chamou um criado.

— Sim, senhor! Desfazer malas, senhor?

— Ainda não. Eu quero falar com o sr. Shrivenham... aqui em cima.

Shrivenham apareceu com uma expressão ligeiramente apreensiva.

— Algo que eu possa fazer? Alguma coisa errada?

— Sr. Shrivenham, ocorreu uma mudança drástica nos meus planos. Posso contar com a sua discrição, naturalmente?

— Oh, absolutamente, senhor.

— Já faz algum tempo desde que estive em Bagdá pela última vez; na realidade, não estive aqui desde a guerra. Os hotéis em sua maioria estão do outro lado do rio, não é?

— Sim, senhor, na rua Rashid.

— De fundos para o Tigre?

— Sim, o Babylonian Palace é o maior deles. É o hotel mais ou menos oficial.

— O que sabe acerca de um hotel chamado Tio?

— Oh, uma porção de gente vai lá. A comida é realmente boa e é administrado por um tipo terrível chamado Marcus Tio. É uma verdadeira instituição em Bagdá.

— Gostaria que me reservasse um quarto ali, sr. Shrivenham.

— Quer dizer... o senhor não vai ficar na embaixada? — Shrivenham parecia nervosamente apreensivo. — Mas... mas... está tudo arranjado, senhor.

— O que está arranjado pode ser desarranjado... — rosnou Sir Rupert.

— Oh, certamente, senhor. Eu não queria...

Shrivenham interrompeu-se. Tinha um pressentimento de que, no futuro, alguém o culparia por isso.

— Tenho de realizar umas negociações um tanto delicadas. Estou sabendo que não podem ser realizadas na embaixada. Quero que me reserve um quarto hoje à noite no hotel Tio e quero sair da embaixada de maneira razoavelmente discreta. Isso quer dizer que não quero chegar ao Tio num carro da embaixada. Também quero um lugar reservado no avião que vai para o Cairo depois de amanhã.

Shrivenham parecia ainda mais aterrado.

— Mas entendi que iria ficar cinco dias...

— Isso já não é mais o caso. É imperativo que eu chegue ao Cairo logo que meu negócio aqui estiver terminado. Para mim, não seria seguro permanecer mais tempo.

— Seguro?

Um súbito sorriso transformou a face de Sir Rupert. As maneiras que Shrivenham tinha comparado às de um sargento de instrução prussiano foram postas de lado. O charme do homem tornou-se subitamente aparente.

— A segurança não tem geralmente sido uma de minhas preocupações, concordo — disse ele. — Mas, neste caso, não é apenas a minha própria segurança que tenho de levar em consideração... minha segurança inclui a segurança de uma porção de outras pessoas também. Então faça esses arranjos para mim. Se a passagem aérea for difícil, peça prioridade. Até sair daqui, hoje à noite, ficarei no meu quarto.

Quando a boca de Shrivenham se abriu em espanto, Sir Rupert acrescentou:

— Oficialmente estou doente. Ligeiro ataque de malária.

O outro anuiu com a cabeça.

— Assim não precisarei de comida — disse Sir Rupert.

— Mas certamente não podemos mandá-lo...

— Jejum de 24 horas para mim não é nada. Passei fome mais tempo do que isso em algumas de minhas viagens. Faça apenas como lhe digo.

No andar de baixo, Shrivenham foi cumprimentado pelos seus colegas e grunhiu em resposta às perguntas deles.

— Coisa de capa e espada em grande estilo — disse ele. — Não consigo compreender sua grandiloquência, Sir Rupert Crofton Lee. Se é genuíno ou se está representando um papel. Aquela capa esvoaçante e o chapéu de bandido e todo o resto. Um camarada que leu um dos livros dele me contou que, embora seja um bocado exibicionista, ele realmente fez todas aquelas coisas e esteve nesses lugares... mas não sei... Gostaria que Thomas Rice estivesse de pé e aqui para se encarregar disso. Isso me lembra, o que é Verde de Scheele?

— Verde de Scheele? — disse seu amigo franzindo a testa. — Algo que tem a ver com papel de parede, não é? Venenoso. Uma espécie de arsênico, acho eu.

— Nossa! — exclamou Shrivenham, olhando fixamente. — Pensei que fosse uma doença. Algo como uma disenteria amebiana.

— Oh, não, é algo no campo da química. O que esposas usam para dar cabo de seus maridos ou vice-versa.

Shrivenham tinha se fechado num silêncio espantado. Certos fatos desagradáveis estavam começando a ficar claros para ele. Crofton Lee sugeriu que Thomas Rice, conselheiro oriental na embaixada, estava sofrendo não de gastrenterite, mas de envenenamento por arsênico. Ainda por cima, Sir Rupert tinha sugerido que a sua própria vida estava em perigo, e a sua decisão de não comer ou beber nada preparado nas cozinhas da Embaixada Britânica abalou a alma decorosa e britânica de Shrivenham até seu âmago. Ele não era capaz de imaginar o que deduzir de tudo isso.

Capítulo 10

Respirando poeira amarela asfixiante, Victoria ficou desfavoravelmente impressionada por Bagdá. Do aeroporto ao hotel Tio, seus ouvidos tinham sido assaltados por barulho contínuo e incessante. Buzinas estridentes de automóveis, com persistência enlouquecedora, vozes gritando, apitos soando, em seguida mais estrídulo ensurdecedor e sem propósito de buzinas de automóveis. Acrescido aos ruídos altos e incessantes da rua, havia um fino pinga-pinga de som contínuo, que era a sra. Hamilton Clipp falando.

Victoria chegou aturdida ao hotel Tio.

Uma pequena aleia levava da barulheira da rua Rashid em direção ao Tigre. Um pequeno lance de escada para subir e ali, na entrada do hotel, foram cumprimentadas por um jovem bastante corpulento com um sorriso largo que, metaforicamente, pelo menos, tocou-lhes o coração. Esse, compreendeu Victoria, era Marcus, ou mais corretamente, o sr. Tio, proprietário do hotel Tio.

Suas palavras de boas-vindas foram interrompidas por ordens gritadas a vários subalternos com referência ao destino de sua bagagem.

— E aqui está a senhora mais uma vez, sra. Clipp... mas seu braço... por que é que está nesse negócio esquisito?... (Oh, seus trouxas, não carreguem aquilo pelo barbante! Imbecis! Não arrastem aquele casaco)... Mas, minha cara... que dia para chegar... Pensei que o avião nunca conseguiria aterrissar. Ficou dando voltas e voltas e voltas... Marcus, disse eu para mim mesmo, não é você que vai viajar de aviões: toda essa pressa, que importa?... e a senhora trouxe uma jovem consigo. É sempre bom ver alguma nova jovem em Bagdá... Por que o sr. Harrison não veio para encontrá-la?... Eu o esperava ontem... Mas, minha cara, tem de tomar uma bebida imediatamente...

Agora, um tanto aturdida, Victoria, de cabeça levemente atordoada pelo efeito de um uísque duplo autoritariamente impingido a ela por Marcus, estava de pé num alto quarto caiado, que tinha uma cama grande de latão, uma penteadeira muito sofisticada do mais novo modelo francês, um velho guarda-roupa vitoriano e duas cadeiras de pelúcia de cor forte. Sua modesta bagagem repousava a seus pés, e um homem muito velho, com rosto amarelo e cabelos brancos, sorriu e acenou para ela enquanto colocava toalhas no banheiro e perguntava se queria que esquentasse água para seu banho.

— Quanto tempo isso iria levar?

— Vinte minutos, meia hora. Vou fazer isso agora mesmo.

Com um sorriso paternal, retirou-se. Victoria sentou--se sobre a cama e passou a mão sobre o cabelo. Sentiu-o cheio de poeira e seu rosto estava sensível e gretado. Olhou-se no espelho. A poeira tinha mudado seu cabelo de preto para um marrom avermelhado, estranho. Afastou um canto da cortina e olhou para uma varanda larga que dava para o rio. Mas não se via nada do Tigre, a não ser uma bruma amarela espessa. Vítima de profunda depressão, Victoria dizia para si mesma:

— Que lugar odioso!

Em seguida, levantou-se, atravessou o patamar e bateu à porta da sra. Clipp. Teria de dispensar-lhe mil e um cuidados antes que pudesse tratar de sua própria limpeza e reabilitação.

Depois de um banho, almoço e cochilo prolongado, Victoria saiu de seu dormitório para a varanda e olhou com aprovação por sobre o Tigre. A tempestade de poeira tinha amainado. Em lugar da bruma amarela, uma pálida luz clara estava aparecendo. Do outro lado do rio, havia a silhueta delicada de palmeiras e de casas dispostas irregularmente.

Vozes erguiam-se para Victoria do jardim embaixo. Foi para a borda da varanda e espiou para baixo.

A sra. Clipp, aquela tagarela infatigável e alma amiga, tinha feito amizade com uma inglesa, umas dessas inglesas castigadas pelo tempo, de idade indeterminada, que sempre podem ser encontradas em qualquer cidade estrangeira.

— ...e o que eu poderia ter feito sem ela, simplesmente não sei — estava dizendo a sra. Clipp. — Ela é simplesmente a moça mais dócil que você possa imaginar. E muito bem relacionada. Neta do bispo de Llangow.

— Bispo de quê?

— Ora, Llangow, creio que era.

— Bobagem, não existe tal pessoa — disse a outra.

Victoria franziu a testa. Estava reconhecendo o tipo de inglesa do campo que dificilmente poderia ser enganada pela menção de bispos espúrios.

— Ora, então, talvez eu tenha compreendido mal o nome — disse a sra. Clipp, em dúvida.

— Mas — concluiu — ela certamente é uma moça muito encantadora e competente.

— Ha! — disse a outra de maneira indiferente.

Victoria resolveu ficar o mais longe possível dessa senhora. Algo lhe dizia que inventar histórias para satisfazer essa espécie de mulher não era tarefa fácil.

Victoria voltou para o seu quarto, sentou-se na cama e entregou-se a especulações sobre a sua presente situação.

Estava hospedada no hotel Tio que não era, como estava razoavelmente segura, nem um pouco barato. Tinha quatro libras e 18 xelins em seu poder. Tinha ingerido um lauto almoço pelo qual não tinha pago ainda e pelo qual a sra. Hamilton Clipp não tinha obrigação nenhuma de pagar. Despesas de viagem até Bagdá era o que a sra. Clipp tinha oferecido. O negócio estava completo. Victoria tinha chegado a Bagdá. A sra. Clipp tinha recebido a atenção perita da sobrinha de um bispo, uma ex-enfermeira de hospital e secretária competente. Tudo isso estava terminado, para a mútua satisfação de ambas as partes. A sra. Clipp partiria no trem noturno para Kirkuk e... era tudo. Victoria brincava esperançosa com a ideia de que a sra. Clipp poderia insistir em dar-lhe um presente de despedida na forma de moeda corrente, mas abandonou-a como improvável. A sra. Clipp não poderia ter nenhuma ideia de que Victoria se encontrava em extremos financeiros realmente periclitantes.

O que, então, deveria fazer? A resposta veio de imediato. Encontrar Edward, naturalmente.

Com uma certa irritação, ela se deu conta de que não sabia nada em absoluto do sobrenome de Edward. Edward, Bagdá. "Bem como a moça sarracena", refletia Victoria, "que chegou à Inglaterra sabendo apenas o nome de seu amado 'Gilbert' e 'Inglaterra'". Uma história romântica, mas certamente inconveniente. "Verdade que na Inglaterra, ao tempo das Cruzadas, ninguém", pensava Victoria, "tinha qualquer sobrenome. Por outro lado, a Inglaterra era maior do que Bagdá. Ainda assim, a Inglaterra era escassamente povoada naquela época...".

Victoria afastou essas especulações interessantes e voltou aos duros fatos. Tinha de encontrar Edward imediatamente. Edward tinha de conseguir um emprego para ela. Também imediatamente.

Não sabia o sobrenome de Edward, mas ele tinha vindo para Bagdá como secretário de um dr. Rathbone e, presumivelmente, o dr. Rathbone era um homem de importância.

Victoria empoou o nariz, alisou o cabelo e partiu escadas abaixo em busca de informações.

O sorridente Marcus, passando pelo *hall* de seu estabelecimento, saudou-a deliciado.

— Ah, é a srta. Jones. Quer vir comigo e tomar um trago, não quer, minha cara? Gosto muito de senhoras inglesas. Todas as senhoras inglesas de Bagdá são minhas amigas. Todos estão muito contentes no meu hotel. Vamos, vamos ao bar.

Victoria, não de todo avessa à hospitalidade gratuita, consentiu alegremente.

Sentada num banco e bebendo gim, começou a sua procura de informação.

— O senhor conhece algum dr. Rathbone que acaba de chegar a Bagdá? — perguntou ela.

— Conheço todo o mundo em Bagdá — disse Marcus Tio alegremente. — E todo o mundo conhece

Marcus. É verdade isso que lhe estou dizendo. Oh! Tenho muitos, muitos amigos.

— Acredito que tenha — disse Victoria. — O senhor conhece o dr. Rathbone?

— Na semana passada, eu tive o marechal-do-ar comandante de todo o Oriente Médio de passagem. Ele me disse, "Marcus, seu vilão, eu não via você desde 1946. Você não ficou nem um pouco mais magro". Oh, ele é um homem muito bom. Gosto muito dele.

— E sobre o dr. Rathbone. Ele é um homem bom?

— Eu gosto, sabe, de gente que sabe se divertir. Gosto das pessoas alegres, jovens e encantadoras... como você. Ele me disse assim, aquele marechal-do-ar, "Marcus, você gosta demais das mulheres". Mas eu digo para ele: "Não, o meu mal é gostar demais de Marcus..." — Marcus ribombava de riso, interrompendo-se para exclamar:

— Jesus... Jesus!

Victoria parecia espantada, mas Jesus era o nome de batismo do homem do bar. Victoria sentiu novamente que o Oriente era um lugar esquisito.

— Outro gim e laranja, e uísque — comandou Marcus.

— Não creio que eu...

— Sim, sim, tomará... são muito, muito fracos.

— Sobre o dr. Rathbone — insistiu Victoria.

— Essa sra. Hamilton Clipp... que nome estranho... com a qual chegou, ela é americana, não é? Também gosto de americanos, mas gosto mais dos ingleses. Os americanos parecem sempre muito preocupados. Mas algumas vezes são boas praças... O sr. Summers... você o conhece? Ele bebe tanto quando chega a Bagdá que vai dormir por três dias e não acorda. É demais isso. Não é bonito.

— Por favor, me ajude — implorou Victoria.

Marcus pareceu surpreso.

— Mas naturalmente eu a ajudo. Eu sempre ajudo meus amigos. Você me diz o que quer que seja feito... e imediatamente será feito. Uma bisteca especial... ou um bom peru cozido com arroz e passas e ervas... ou franguinhos.

— Não quero franguinhos — disse Victoria. — Pelo menos não agora — acrescentou prudentemente. — Eu quero encontrar esse dr. Rathbone. Dr. Rathbone, ele acaba de chegar a Bagdá. Com um... com um... secretário.

— Eu não sei — disse Marcus. — Ele não está hospedado no Tio.

A implicação era claramente que alguém que não estava hospedado no Tio não existia para Marcus.

— Mas há outros hotéis — insistiu Victoria —, ou talvez ele tenha uma casa?

— Oh, sim, há outros hotéis. Babylonian Palace, Sennacherib, hotel Zobeiba. São bons hotéis, sim, mas não são como o Tio.

— Tenho certeza de que não são — assegurou-lhe Victoria. — Mas não sabe se o dr. Rathbone está hospedado em algum deles? Há uma espécie de sociedade que ele dirige... tem alguma coisa que ver com cultura... e livros.

Marcus tornou-se bastante sério à menção de cultura.

— É do que precisamos — disse ele. — Deve haver muita cultura. Arte e música... é muito bonito, muito bonito realmente. Eu mesmo gosto de sonatas de violino, se não são muito compridas.

Embora completamente de acordo com ele, especialmente quanto ao fim do discurso, Victoria apercebeu-se de que não estava chegando mais perto do seu alvo. "A conversa com Marcus era", pensava ela, "exatamente entretida, e Marcus era uma pessoa encantadora em seu entusiasmo infantil pela vida; mas a conversa com ele lembrava-lhe os empenhos de Alice no País das Maravilhas para encontrar um caminho que levasse para a colina. A cada tópico achava-se voltando ao ponto de partida: Marcus!".

Recusou outro trago e levantou-se tristemente. Sentiu-se ligeiramente tonta. Os coquetéis tinham sido tudo, menos fracos. Foi do bar para o terraço do lado de fora e ficou junto à balaustrada, olhando para o rio, quando alguém falou por detrás dela.

— Desculpe-me, mas seria melhor vestir um casaco. Acho que lhe parece como o verão, chegando da Inglaterra, mas fica bastante frio ao pôr do sol.

Era a inglesa que tinha estado falando com a sra. Clipp mais cedo. Tinha a voz rouca de alguém que tem o hábito de treinar e chamar cachorros de criação. Usava uma capa de pele, tinha uma manta sobre os pés e estava bebericando um uísque com soda.

— Oh, obrigada — disse Victoria e já estava quase escapando apressadamente quando suas intenções foram frustradas.

— Tenho de me apresentar. Sou a sra. Cardew Trench. — (A implicação estava clara: uma das Cardew Trench.) — Acredito que chegou com a sra. ... como é o nome dela... Hamilton Clipp.

— Sim — disse Victoria —, cheguei.

— Ela me contou que você era a sobrinha do bispo de Llangow.

Victoria ativou-se.

— Foi, é? — perguntou ela com o vestígio correto de ligeiro divertimento.

— Entendi errado, presumo?

Victoria sorriu.

— Americanos geralmente estão sujeitos a entenderem errado alguns de nossos nomes. Soa como Llangow. Meu tio — disse Victoria, improvisando rapidamente — é o bispo de Languao.

— Languao?

— Sim, no arquipélago Pacífico. É um bispo colonial, naturalmente.

— Oh, um bispo colonial — disse a sra. Cardew Trench, com sua voz caindo pelo menos três semitons.

Como Victoria tinha antecipado: a sra. Cardew Trench era magnificamente alheia a bispos coloniais.

— Isso explica tudo — acrescentou.

Victoria pensou com orgulho que isso o explicava muito bem para um mergulho de inspiração momentânea.

— E o que está fazendo aqui? — perguntou a sra. Cardew Trench com a benignidade inexorável que esconde uma disposição de curiosidade natural.

"Procurando um jovem com quem falei por alguns momentos num parque público em Londres" dificilmente seria uma resposta que Victoria pudesse dar. Falou, lembrando, o parágrafo que tinha no jornal e o que tinha contado para a sra. Clipp.

— Estou me reunindo ao meu tio, dr. Pauncefoot Jones.

— Oh, então é isso que você é. — A sra. Cardew Trench estava claramente deliciada por ter *localizado* Victoria. — É um homem encantador, embora um pouco distraído... mas acho que isso era de se esperar. Escutei-o conferenciar o ano passado em Londres... excelente apresentação... não consegui entender uma palavra a respeito do que era tudo aquilo. Sim, ele passou por Bagdá, faz mais ou menos uns 15 dias. Acho que mencionou que algumas moças estariam chegando mais tarde na estação.

Apressadamente, tendo estabelecido a sua situação, Victoria entrou com uma pergunta.

— Sabe me dizer se o dr. Rathbone está por aqui? — perguntou.

— Acabou de chegar — disse a sra. Cardew Trench. — Acredito que lhe pediram para fazer uma conferência no Instituto na próxima quinta-feira. Sobre relações mundiais e fraternidade... ou qualquer coisa assim. Tudo bobagem, se você me perguntar. Quanto mais você tenta juntar as pessoas, tanto mais ficam suspeitando umas das outras. Toda essa poesia e música e traduzir Shakespeare e Wordsworth em árabe e chinês e hindustani. "Uma primavera à beira do rio" etc. ...que adianta isso para quem nunca viu uma primavera?

— Você sabe onde ele está hospedado?

— No Babylonian Palace Hotel, creio. Mas seu quartel-general é perto do museu. O Ramo de Oliveira... nome ridículo. Cheio de jovens e mulheres de *slack*, com pescoços por lavar e óculos.

— Conheço ligeiramente seu secretário — disse Victoria.

— Oh, sim, qual é seu nome, Edward sei-lá-o-quê... bom rapaz... bom demais para aquele bando de cabeludos; saiu-se bem na guerra, ouvi dizer. No entanto, um emprego é um emprego, acredito. Rapaz bem-parecido... aquelas jovens mulheres sérias estão bem alvoroçadas com ele, imagino.

Uma pontada devastadora de ciúme atravessou Victoria.

— O Ramo de Oliveira — disse ela. — Onde disse mesmo que era?

— Para cima, depois da virada para a segunda ponte. Uma das esquinas da rua Rashid... um tanto escondido. Não fica longe do bazar de cobre.

— E como está a sra. Pauncefoot Jones? — continuou a sra. Cardew Trench. — Virá logo? Escutei dizer que está de saúde abalada.

Mas tendo conseguido as informações que queria, Victoria não se estava arriscando mais com invenções. Olhou para seu relógio de pulso e proferiu uma exclamação.

— Nossa! Prometi acordar a sra. Clipp às 6h30 e ajudá-la a preparar-se para a viagem. Tenho de correr.

A desculpa era bastante legítima, se bem que Victoria tivesse substituído sete horas por 6h30. Correu para cima, sentindo-se bastante alegre. Amanhã entraria em contato com Edward no Ramo de Oliveira. Jovens mulheres sérias com pescoços sujos, realmente! Soavam extremamente falhas de atrativos... No entanto, desassossegada, Victoria refletia que homens são menos críticos de pescoços pardacentos do que mulheres inglesas higiênicas de meia-idade, especialmente se as proprietárias dos ditos pescoços estão olhando com grandes olhos de admiração e adoração para o objeto masculino em questão.

A tarde passou rapidamente. Victoria fez uma refeição cedo na sala de jantar com a sra. Hamilton Clipp, esta última falando pelos cotovelos sobre qualquer assunto sob o sol. Instou com Victoria para vir fazer-lhe uma visita mais tarde, e Victoria tomou nota do endereço cuidadosamente, porque, afinal de contas, nunca se sabia... Acompanhou a sra. Clipp até a estação Norte de Bagdá, viu-a seguramente instalada em sua cabine e foi apresentada a uma conhecida também viajando para Kirkuk e que ajudaria a sra. Clipp com a sua toalete na manhã seguinte.

A máquina proferia gritos altos e melancólicos, como uma alma penada; a sra. Clipp pôs um grosso envelope na mão de Victoria e disse:

— Apenas uma pequena lembrança, srta. Jones, de nossa companhia muito agradável, que eu espero que aceite com os meus cumprimentos muito agradecidos.

— Mas é realmente muita gentileza sua, sra. Clipp — disse Victoria, com voz deliciada.

A máquina soltou mais um grito cruciante e final de angústia, e o trem começou lentamente a sair da estação.

Victoria tomou um táxi na estação de volta para o hotel, já que não tinha a menor ideia de como chegar lá de qualquer outro modo e não parecia haver ninguém por perto a quem pudesse perguntar.

Voltando para o Tio, ela subiu para seu quarto e, ansiosamente, abriu o envelope. Dentro estavam dois pares de meias de *nylon*.

Em qualquer momento, Victoria teria ficado encantada — sendo que meias de *nylon* geralmente tinham estado além do alcance de sua bolsa. No momento, porém, moeda corrente era o que ela esperava. A sra. Clipp, porém, tinha sido delicada demais para pensar em dar-lhe uma nota de cinco dinares. Victoria desejava ardentemente que ela não tivesse sido tão delicada assim.

No entanto, no dia seguinte, haveria Edward. Victoria despiu-se, foi para a cama e, em cinco minutos, estava ferrada no sono, sonhando que estava esperando por

Edward num aeroporto, mas que ele era impedido de juntar-se a ela por uma moça de óculos que o agarrava firmemente pelo pescoço enquanto o avião começava a afastar-se lentamente...

Capítulo 11

Victoria acordou para uma manhã de sol brilhante. Depois de se vestir, foi para o grande terraço à frente da sua janela. Sentado numa cadeira um pouco afastada, de costas para ela, estava um homem de cabelos grisalhos encaracolados que se alongavam sobre um pescoço musculoso castanho-avermelhado. Quando o homem voltou a cabeça para o lado, Victoria reconheceu, com um sentimento de nítida surpresa, Sir Rupert Crofton Lee. Por que teria ficado tão surpreendida, ela dificilmente poderia dizer. Talvez por que supusesse que, naturalmente, um VIP como Sir Rupert estaria hospedado na embaixada e não num hotel. Não obstante, ali estava ele, olhando o Tigre com uma espécie de intensidade concentrada. Notou mesmo que ele tinha um par de binóculos pendurados do lado de sua cabeceira. "Possivelmente", pensou ela, "estudava pássaros".

Um jovem que Victoria em certa época tinha achado atraente era um entusiasta de pássaros, e ela o tinha acompanhado em diversas excursões de fim de semana, para ficar de pé, como que paralisada, na vegetação molhada e em ventos gélidos, durante o que pareciam horas, para que finalmente, em tons de êxtase, ele lhe dissesse para olhar pelo binóculo algum pássaro insípido num galho remoto que, quanto à aparência, se comparava desfavoravelmente, até onde Victoria podia ver, com um tico-tico ou um pardal comum.

Victoria desceu e encontrou Marcus Tio no terraço entre os dois edifícios do hotel.

— Estou vendo que o senhor tem Sir Rupert Crofton Lee como hóspede aqui — disse ela.

— Oh, sim — disse Marcus, sorrindo. — Ele é um homem bom... um homem muito bom.

— Conhece-o bem?

— Não, esta é a primeira vez que o vejo. O sr. Shrivenham, da Embaixada Britânica, o trouxe aqui na noite passada. O sr. Shrivenham também é um homem bom. Eu o conheço muito bem.

Continuando para ir tomar o café da manhã, Victoria se perguntava se existia alguém que Marcus não considerasse um homem muito bom. Ele parecia exercer uma caridade ostensiva.

Depois do café, Victoria partiu em busca do Ramo de Oliveira.

Como *cockney* criada em Londres, ela não tinha a menor noção das dificuldades inerentes a encontrar qualquer lugar particular numa cidade assim como Bagdá, até que começou a fazê-lo.

Encontrando Marcus novamente na saída, pediu-lhe que indicasse a ela o caminho para o museu.

— É um museu muito bonito — disse Marcus, sorrindo. — Sim. Cheio de coisas interessantes, muito, muito velhas. Não que eu mesmo tenha estado lá. Mas tenho amigos, amigos arqueólogos, que ficam lá sempre que passam por Bagdá, o sr. Baker, sr. Richard Baker, conhece-o? E o professor Kalzman? E o dr. Pauncefoot Jones... e o sr. e a sra. McIntyre... todos eles vêm para o Tio. São meus amigos. E eles me contam sobre o que está no museu. Muito, muito interessante.

— Onde fica e como chego lá?

— Você vai direto pela rua Rashid... sempre em frente... passa pela entrada da ponte Feisal e pela rua dos Bancos. Conhece a rua dos Bancos?

— Não conheço nada — disse Victoria.

— E, em seguida, há uma outra rua, também indo para uma ponte, e é lá que fica, à direita. Pergunte pelo sr. Betoun Evans; ele é o conselheiro inglês ali... um homem muito bom. E a mulher dele é muito boa também; ela veio para cá como sargento de transportes durante a guerra. Oh, ela é muito, muito boa.

— Eu, na realidade, não quero ir para o museu — disse Victoria. — Quero achar um lugar... uma Sociedade... uma espécie de clube chamado Ramo de Oliveira.

— Se quiser azeitonas — disse Marcus —, posso lhe dar azeitonas lindas, de qualidade muito boa. São guardadas especialmente para mim... para o hotel Tio. Vai ver, vou mandar algumas para a sua mesa esta noite.

— É muita gentileza sua — disse Victoria e escapou em direção à rua Rashid.

— Para a esquerda — gritou Marcus por detrás dela. — Não para a direita. Mas é um longo caminho até o museu. É melhor pegar um táxi.

— Um táxi saberia onde fica o Ramo de Oliveira?

— Não. Eles não sabem onde fica coisa alguma! Diga ao motorista "esquerda", "direita", "pare", "em frente"... exatamente aonde você quer ir.

— Neste caso, posso muito bem ir andando — opinou Victoria. Chegou à rua Rashid e dobrou à esquerda.

Bagdá era completamente diferente do que ela pensava. Uma via principal, apinhada, cheia de gente, carros buzinando violentamente, gente gritando, artigos europeus à venda nas vitrines das lojas, cuspidelas vigorosas em toda a sua volta com prodigiosos limpadores de pigarros como preliminar. Nenhuma figura misteriosa do Oriente; a maioria das pessoas vestindo roupas ocidentais, esfarrapadas ou molambentas, túnicas velhas do Exército ou da Força Aérea; as figuras ocasionais de roupa negra e velada eram quase imperceptíveis entre os híbridos estilos europeus de vestimenta. Mendigos lamurientos vinham se aproximar dela, mulheres com bebês sujos nos braços. O chão sob seus pés era desigual, com ocasionais buracos escancarados.

Prosseguiu seu caminho, sentindo-se subitamente estranha e perdida, e longe de casa. Aqui não havia encanto de viagem, apenas confusão.

Finalmente chegou à ponte Feisal, passou por ela e continuou. Involuntariamente, estava intrigada pela curiosa mistura de coisas nas vitrines das lojas. Aqui, estavam sapatos de bebê e roupinhas de lã, pasta de dentes e cosméticos, lanternas elétricas e xícaras e pires de louça, tudo exibido junto. Lentamente, uma espécie de fascinação apoderou-se dela, a fascinação da mercadoria sortida vinda de todo o mundo para satisfazer às necessidades estranhamente sortidas e variadas de uma população mista.

Encontrou o museu, mas não o Ramo de Oliveira. Para alguém acostumada a encontrar seu caminho em Londres parecia incrível que não houvesse ninguém ali a quem pudesse perguntar. Ela não sabia árabe. Aqueles lojistas que lhe falaram em inglês ao passar, apregoando suas mercadorias, apresentaram rostos vazios quando ela perguntava o caminho para o Ramo de Oliveira.

Se ao menos pudesse "perguntar a um policial", mas olhando para os policiais, ativamente agitando os braços, soprando seus apitos, ela se convenceu de que isso não seria solução alguma.

Entrou numa livraria com livros ingleses na vitrine, mas uma menção ao Ramo de Oliveira apenas provocou um cortês encolher de ombros e meneio de cabeça. Infelizmente, não tinham a menor ideia.

E, em seguida, ao caminhar ao longo da rua, um martelar e um clamor prodigiosos chegaram aos seus ouvidos e, olhando por uma aleia longa e obscura, lembrou que a sra. Cardew Trench tinha dito que o Ramo de Oliveira era perto do Bazar de Cobre. Aqui, finalmente, era o Bazar de Cobre.

Victoria mergulhou nele e, pelos próximos três quartos de hora, esqueceu completamente o Ramo de Oliveira. O Bazar de Cobre a fascinava. As tochas de solda, o metal derretido, todo o negócio do artesanato veio como uma revelação para a pequena *cockney*, acostumada apenas a produtos acabados empilhados para a venda. Passeava sem destino pelo *suq*, passou do Bazar do Cobre, veio para as alegres mantas listradas de cavalo e os edredons de algodão para cama. Aqui a mercadoria europeia assumia um ar completamente diferente. Na escuridão fresca, arqueada, tinha a qualidade exótica de algo vindo de ultramar, algo estranho e raro.

Peças de algodão barato, estampado, em cores alegres, produziam uma festa para os olhos.

Ocasionalmente, com um grito de *Balek, Balek,* um burro ou uma mula carregada passava por ela, ou homens levando grandes cargas equilibradas nas costas. Meninos pequenos corriam para ela com tabuleiros pendurados ao pescoço.

— Veja, senhora, elástico, bom elástico, elástico inglês. Pente, pente inglês?

As mercadorias eram arremessadas junto ao seu nariz, com instâncias veementes para que ela as comprasse. Victoria andava num sonho contente. Isso era realmente ver o mundo. Em cada volta do vasto mundo arqueado de veredas chegava-se a algo completamente inesperado: uma aleia de alfaiates sentados costurando, com lindas ilustrações europeias de roupas de homem, uma linha de relógios e uma joalheria barata. Peças de veludos e brocados ricos de bordados de metal, em seguida uma curva ao acaso e você estava andando por uma aleia de baratas roupas europeias de segunda mão e andrajosos suéteres pequenos, pateticamente esmaecidos e desbotados, e longos coletes desgrenhados.

Em seguida, aqui e ali, havia vislumbres de vastos pátios quietos e abertos para o céu.

Chegou a uma vista de calças de homem, com mercadores dignificados de pernas cruzadas, em turbantes, sentados no meio de seus pequenos recessos quadrados.

— *Balek!*

Um burrico pesadamente carregado, vindo por trás, fez Victoria voltar-se para o lado numa estreita vereda aberta para o céu que se esgueirava entre casas altas. Andando por ela, topou, bem por acaso, com o objeto de sua busca. Por uma abertura, olhou para um pequeno pátio quadrado e, na parte mais afastada dele, uma porta aberta com O RAMO DE OLIVEIRA numa placa enorme, e um pássaro de estuque, de aspecto estapafúrdio, segurando um ramo irreconhecível em seu bico.

Alegremente, Victoria atravessou o pátio e entrou pela porta aberta. Encontrou-se num aposento fracamente iluminado, com mesas cobertas de livros e revistas, e mais livros arrumados em prateleiras à volta. Parecia um pouco com uma livraria, exceto por pequenos grupos de cadeiras arrumadas aqui e ali.

Da escuridão, uma moça aproximou-se de Victoria e disse em inglês cuidado:

— Em que posso ajudá-la, por favor?

Victoria olhou para ela. Usava calças de veludo cotelê e uma camisa de flanela laranja, e cabelos pretos úmidos, cortados numa espécie de coque deprimido. Até aí pareceria mais de acordo com Bloomsbury, mas seu rosto não era Bloomsbury. Era um rosto melancólico com grandes olhos tristes e um nariz pesado.

— Isto é, isto é... é... o dr. Rathbone está aqui?

Exasperante ainda não saber o sobrenome de Edward! Mesmo a sra. Cardew Trench o tinha chamado de Edward sei-lá-o-quê.

— Sim. Dr. Rathbone. O Ramo de Oliveira. Quer juntar-se a nós? Sim? Isso seria muito bom.

— Bem, talvez. Eu... poderia ver o dr. Rathbone, por favor?

A jovem sorriu de maneira cansada.

— Nós não o incomodamos. Eu tenho um formulário. Eu lhe conto tudo. Em seguida, você assina seu nome. São dois dinares, por favor.

— Ainda não estou certa de que vou querer aderir — disse Victoria, alarmada à menção de dois dinares. — Gostaria de ver o dr. Rathbone... ou o seu secretário. Seu secretário será suficiente.

— Eu explico. Eu lhe explico tudo. Somos todos amigos aqui, amigos juntos, amigos para o futuro... lendo livros muito bons, educacionais... recitando poesias uns para os outros.

— O secretário do dr. Rathbone — disse Victoria alto e claramente. — Ele me pediu particularmente que perguntasse por ele.

Uma espécie de amuo obstinado insinuou-se no rosto da jovem.

— Hoje não — insistiu ela —, eu explico...

— Por que não hoje? Ele não está aqui? O dr. Rathbone não está aqui?

— Sim, o dr. Rathbone está aqui. Lá em cima. Nós não o incomodamos.

Uma espécie de intolerância anglo-saxônica para com estranhos se apoderou de Victoria. Infelizmente, em vez de o Ramo de Oliveira criar sentimentos internacionais amistosos, parecia ter o efeito oposto no que se referia a ela.

— Acabei de chegar da Inglaterra — disse ela, e seu sotaque era quase o da própria sra. Cardew Trench. — E tenho uma mensagem muito importante para o dr. Rathbone, mas tenho de lhe entregar pessoalmente. Por favor, leve-me a ele imediatamente! Sinto muito perturbá-lo, mas tenho de falar com ele. Imediatamente! — acrescentou, para encerrar o assunto.

Diante de uma britânica imperativa, que está disposta a conseguir o que quer, as barreiras quase sempre caem. A jovem voltou-se imediatamente e mostrou o caminho para os fundos da sala e escada acima, ao longo de uma galeria que dava para o pátio. Parou diante de uma porta e bateu. Uma voz de homem disse:

— Entre!

A cicerone de Victoria abriu a porta e fez um gesto para a moça entrar.

— É uma senhora da Inglaterra que deseja lhe falar.

Victoria entrou.

De trás de uma grande escrivaninha coberta de papéis, um homem levantou-se para cumprimentá-la.

Era um homem de aspecto imponente, idoso, de cerca de sessenta anos, com uma testa alta, arqueada, e cabelos brancos. Benevolência, bondade e encanto eram as qualidades mais aparentes de sua personalidade. Um produtor de espetáculos poderia tê-lo designado sem hesitação para o papel do grande filantropo.

Cumprimentou Victoria com um sorriso quente e uma mão estendida.

— Então acabou de vir da Inglaterra — disse ele. — A primeira visita ao Oriente, hein?

— Sim.

— Gostaria de saber o que pensa de tudo isso... Tem de me contar um dia. Agora, deixe-me ver, será que já a encontrei antes ou não? Eu sou tão míope, e você não deu o seu nome.

— Não me conhece — disse Victoria —, mas sou amiga de Edward.

— Uma amiga de Edward — disse o dr. Rathbone. — Ora, isso é esplêndido. Edward sabe que está em Bagdá?

— Ainda não — disse Victoria.

— Bem, será uma surpresa agradável quando ele voltar.

— Voltar? — repetiu Victoria, sua voz sumindo.

— Sim, Edward está em Basrah no momento. Tive de mandá-lo até lá para tratar de alguns engradados de livros que chegaram para nós. Houve uma demora extremamente aborrecida na Alfândega... simplesmente não conseguimos fazê-los passar. O toque pessoal é o único jeito, e Edward é bom para essa espécie de coisa. Ele sabe exatamente quando encantar e quando fincar o pé, e não descansará enquanto não tiver a coisa resolvida.

É persistente. Uma grande qualidade num jovem. Tenho Edward em alta conta.

Seus olhos cintilaram.

— Mas não suponho que tenha de lhe cantar as qualidades de Edward, minha jovem.

— Quando... quando Edward estará de volta de Basrah? — perguntou Victoria fracamente.

— Bem, isso... agora, eu não poderia dizer. Não voltará enquanto não tiver terminado o serviço... e não se podem apressar as coisas demais neste país. Diga-me onde está hospedada e pode estar certa de que ele entrará em contato com você logo que voltar.

— Eu estava pensando... — falava Victoria desesperadamente, consciente de seus embaraços financeiros. — Eu estava pensando se não poderia fazer algum trabalho aqui.

— Ora, isso eu aprecio — disse o dr. Rathbone calidamente. — Sim, é claro que pode. Precisamos de todos os trabalhadores, de todo auxílio que possamos conseguir. E especialmente de moças inglesas. Nosso trabalho está indo esplendidamente, esplendidamente bem, mas há muito mais a ser feito. No entanto, as pessoas estão interessadas. Eu tenho trinta auxiliares voluntários até agora... trinta... todos afiados como navalhas! Se está realmente falando sério, poderá ser extremamente valiosa.

A palavra voluntário soou desagradável aos ouvidos de Victoria.

— Eu, na realidade, queria um emprego remunerado — disse ela.

— Ora, ora! — O rosto do dr. Rathbone caiu. — Isso já é mais difícil. Nossa equipe paga é bastante reduzida... e para o momento, com o auxílio voluntário, é bastante adequada.

— Não posso me permitir não ter um emprego — explicou Victoria. — Sou uma estenodatilógrafa competente — acrescentou sem corar.

— Tenho certeza de que é competente, minha querida senhorita; está irradiando competência, se posso dizer assim. Mas conosco é uma questão de *£sd*[6]. Mas, mesmo que consiga um emprego em outro lugar, espero que nos ajude no seu tempo livre. A maioria dos nossos trabalhadores tem seus próprios empregos regulares. Tenho certeza de que achará realmente inspirador ajudar-nos. Deve haver um fim para toda a selvageria no mundo, as guerras, os mal-entendidos, as suspeitas. Um campo de encontro comum, é disso que todos nós precisamos. Drama, arte, poesia... as grandes coisas do espírito... não há lugar aí para picuinhas ou ódios.

— N... não — disse Victoria em dúvida, lembrando-se de amigos seus que eram atores e artistas, e cujas vidas pareciam obcecadas pelas ciumeiras mais triviais e por ódios de uma virulência particularmente intensa.

— Mandei traduzir o *Sonho de uma noite de verão* para quarenta línguas diferentes — disse o dr. Rathbone. — Quarenta equipes diferentes de pessoas jovens, todas reagindo à mesma maravilhosa obra literária. Pessoas jovens, esse é o segredo. Não tenho a ver com ninguém a não ser com jovens. O espírito e a mente, uma vez esclerosados, é tarde demais. Não, são os jovens que têm de se encontrar. Veja aquela moça lá embaixo, Catarina, a que a trouxe aqui para cima. É síria de Damasco. Você e ela são provavelmente da mesma idade. Normalmente, vocês nunca se encontrariam, não teriam nada em comum. Mas, no Ramo de Oliveira, você e ela e muitos, muitos outros, russos, judeus, iraquianos, moças turcas, armênias, egípcias, persas, todos se encontram e gostam uns dos outros e leem os mesmos livros e discutem filmes e música (temos excelentes conferencistas que vêm para cá), todos vocês descobrindo e se entusiasmando por encontrarem um ponto de vista diferente... ora, isso é o que o mundo está destinado a ser.

---

6 "Falta de libras." (N.E.)

Victoria não pôde furtar-se a pensar que o dr. Rathbone estava sendo otimista demais ao presumir que todos aqueles elementos divergentes que se estavam encontrando necessariamente gostavam uns dos outros. Ela e Catarina, por exemplo, não tinham gostado uma da outra nem um pouco. E Victoria suspeitava fortemente de que, quanto mais se vissem, tanto mais o desagrado cresceria.

— Edward é esplêndido — disse o dr. Rathbone. — Dá-se com todo o mundo. Melhor talvez com as moças do que com os homens jovens. Os estudantes homens aqui estão propensos a ser um pouco difíceis a princípio, suspeitosos, quase hostis. Mas as moças adoram Edward, farão qualquer coisa por ele. Ele e Catarina se dão especialmente bem.

— Realmente — disse Victoria friamente. Seu desagrado por Catarina cresceu ainda mais intensamente.

— Bem — disse o dr. Rathbone, sorrindo —, venha e ajude-nos se puder.

Era uma despedida. Apertou-lhe a mão calidamente. Victoria saiu da sala e desceu as escadas. Catarina estava em pé, próximo à porta, falando com uma moça que tinha acabado de entrar com uma pequena mala em sua mão. Era uma morena de boa aparência e, por um momento, Victoria imaginou que já a tinha visto antes em algum lugar. Mas a moça olhou-a sem qualquer sinal de reconhecimento. As duas jovens tinham estado a conversar avidamente em alguma língua que Victoria não conhecia. Pararam quando a viram e permaneceram silenciosas, olhando para ela. Victoria passou por elas a caminho da porta, forçando-se a dizer "Até logo", polidamente, para Catarina, enquanto saía.

Encontrou seu caminho da aleia tortuosa para a rua Rashid e lentamente de volta para o hotel, cega para a multidão a sua volta. Tentou impedir a sua mente de se preocupar com a sua própria situação (sem um tostão em Bagdá), fixando seu pensamento no dr. Rathbone e na arrumação geral do Ramo de Oliveira. Edward tinha tido a impressão em Londres de que havia algo que "cheirava mal" sobre esse negócio. O que cheirava mal? O dr. Rathbone? Ou o próprio Ramo de Oliveira?

Victoria dificilmente podia acreditar que havia algo cheirando mal acerca do dr. Rathbone. Parecia ser um desses entusiastas mal-orientados que insistem em ver o mundo pela sua própria maneira idealista, independentemente da realidade.

Que teria Edward desejado dizer com "cheirando mal"? Tinha sido muito vago. Talvez ele próprio não soubesse.

Poderia o dr. Rathbone ser alguma espécie de vigarista colossal? Antes encantada com a amabilidade do dr. Rathbone, Victoria meneou a cabeça. Suas maneiras de fato tinham mudado, se bem que muito ligeiramente, à ideia de lhe pagar um salário. Claramente, ele preferia pessoas que trabalhavam de graça.

"Mas isso", pensou Victoria, "era um sinal de bom senso".

O sr. Greenholtz, por exemplo, teria pensado exatamente o mesmo.

Capítulo 12

Victoria chegou de volta ao Tio com os pés bastante doloridos e foi cumprimentada entusiasticamente por Marcus, que estava sentado do lado de fora, no gramado junto ao rio, falando com um homem magro bastante malvestido, de meia-idade.

— Venha tomar um trago conosco, srta. Jones. Martíni... *sidecar*? Este é o sr. Dakin. A srta. Jones, da Inglaterra. Então, minha cara, que vai tomar?

Victoria disse que gostaria de um *sidecar* "e de algumas dessas lindas nozes?" sugeriu ela esperançosa, lembrando-se de que nozes eram nutritivas.

— Você gosta de nozes. Jesus! — ele deu rapidamente a ordem, em árabe. O sr. Dakin disse com voz triste que gostaria de tomar uma limonada.

— Ah — gritou Marcus —, mas isso é ridículo. Aqui está a sua, sra. Cardew Trench. Conhece o sr. Dakin? O que vai tomar?

— Gim e lima — disse a sra. Cardew Trench, inclinando a cabeça na direção de Dakin de maneira distraída. — Parece que você está com calor — acrescentou para Victoria.

— Tenho andado admirando a vista.

Quando as bebidas vieram, Victoria comeu um prato cheio de pistache e também algumas batatas fritas.

Pouco depois, um homem baixo, atarracado, subiu os degraus, e o hospitaleiro Marcus o cumprimentou por sua vez. Foi apresentado a Victoria como capitão Crosbie; e, pela maneira como seus olhos ligeiramente protuberantes olhavam para ela, Victoria compreendeu que ele era suscetível aos encantos femininos.

— Acaba de chegar? — perguntou ele.

— Cheguei ontem.

— Pensei tê-la visto por aqui.

— Ela é muito gentil e bonita, não é? — disse Marcus alegremente. — Oh, sim, é bom estarmos com a srta. Victoria. Vou dar uma festa em homenagem a ela... uma festa muito bonita.

— Com frango? — perguntou Victoria, esperançosa.

— Sim, sim... e *foie gras* de Estrasburgo... e talvez caviar. E, em seguida, teremos um prato com peixe, muito bom, um peixe do Tigre, mas tudo com molho e cogumelos. E, depois, vem peru recheado da maneira que o fazemos na minha casa: com arroz e passas e condimentos, e tudo cozido assim! Oh, é muito bom... mas vocês têm de comer muito disso... não apenas uma amostrinha numa colher. Ou, se preferirem, comerão uma bisteca... uma bisteca realmente grande e tenra... tratarei disso. Vamos ter um longo jantar que se prolongará por horas. Vai ser muito bonito. Eu mesmo não como... apenas bebo.

— Será encantador — disse Victoria com voz sumida. A descrição desses pratos a fazia sentir-se bastante trêmula de fome. Ela pensava se Marcus estava realmente disposto a fazer essa festa e, em caso afirmativo, com que rapidez ela poderia acontecer.

— Pensei que tivesse ido para Basrah — disse a sra. Cardew Trench a Crosbie.

— Voltei ontem — respondeu Crosbie. — Olhou para cima do terraço. — Quem é o bandido? O sujeito fantasiado com o chapelão?

— Esse, meu caro, é Sir Rupert Crofton Lee — disse Marcus. — O sr. Shrivenham o trouxe aqui da embaixada na noite passada. É um homem muito bom, viajante muito ilustre. Anda de camelo pelo Saara, sobe montanhas. É bastante desconfortável e perigosa, essa espécie de vida. Eu não gostaria dela para mim.

— Oh, é esse o sujeito, não é? — disse Crosbie. — Li o livro dele.

— Vim com ele no mesmo avião — disse Victoria.

Ambos os homens, ou assim lhe parecia, olhavam-na com interesse.

— É espantosamente convencido e satisfeito consigo mesmo — disse Victoria, com desprezo.

— Conheci a tia dele em Simla — disse a sra. Cardew Trench. — A família toda é assim. Inteligentes à beça, e não deixam de se vangloriar disso.

— Ele ficou sentado lá fora, sem fazer nada a manhã toda — disse Victoria com ligeira desaprovação.

— É o estômago dele — explicou Marcus. — Hoje não pode comer nada. É triste.

— Eu não consigo entender — disse a sra. Cardew Trench — como você pode ter todo esse tamanho, Marcus, se você não come nada.

— É a bebida — disse Marcus. Suspirou fundo. — Eu bebo demais. Esta noite vêm minha irmã e o marido dela. Vou beber e beber, até quase de manhã — suspirou novamente.

Em seguida, proferiu seu urro costumeiro:

— Jesus! Jesus! Traga mais uma rodada!

— Para mim, não — disse Victoria apressadamente, e o sr. Dakin recusou também, terminando sua limonada e indo embora tranquilamente, enquanto Crosbie subia para o seu quarto.

A sra. Cardew Trench tocou o copo de Dakin com a unha.

— Limonada, como sempre — disse ela. — Mau sinal.

Victoria perguntou por que era um mau sinal.

— Quando um homem só bebe quando está sozinho.

— Sim, minha cara — interpôs Marcus. — Isso é verdade.

— Então, ele realmente bebe? — perguntou Victoria.

— É por isso que ele nunca progride — disse a sra. Cardew Trench. — Apenas consegue manter seu emprego e só.

— Mas é um homem muito bom — disse o caridoso Marcus.

— Bah — respondeu a sra. Cardew Trench. — É um peixe tonto. Fuça e anda por aí... nenhum tutano... nenhum controle da vida. Apenas mais um inglês que veio para o Oriente e deteriorou.

Agradecendo a Marcus pela bebida e recusando uma segunda, Victoria subiu para seu quarto, tirou os sapatos e deitou-se na cama para uns pensamentos sérios. As três libras e pouco, às quais seu capital tinha ficado reduzido, já eram devidas, ao que imaginava, a Marcus, pela acomodação e comida. Devido à sua disposição generosa e se conseguisse sustentar a vida principalmente com líquidos alcoólicos ajudados por nozes, azeitonas e batatinhas fritas, ela poderia resolver o problema puramente alimentar dos próximos dias. Quanto tempo levaria Marcus para presenteá-la com a conta e quanto tempo deixaria passar sem que fosse paga? Não tinha ideia. "Ele não era de fato descuidado", pensava ela, "em assuntos de negócios". Naturalmente, deveria encontrar algum outro lugar mais barato para viver. Mas como poderia descobrir aonde ir? Tinha de encontrar um emprego rapidamente. Mas onde é que a gente se candidatava para empregos? Que espécie de emprego? A quem poderia perguntar sobre procurar um? Como era terrivelmente cerceador da liberdade de movimentos estar desembarcada praticamente sem tostão numa cidade estrangeira, onde não se conhecia nada. Com apenas um pouco de conhecimento do terreno, Victoria se sentia confiante (como sempre) de que poderia tomar conta de si mesma. Quando é que Edward estaria de volta de Basrah? Talvez (horror) Edward tivesse esquecido dela completamente. Por que cargas-d'água tinha vindo para Bagdá correndo dessa forma estúpida? Quem e o que era Edward, no final das contas? Apenas outro jovem com um sorriso cativante e uma maneira atraente de dizer as coisas. E qual era seu sobrenome? Se soubesse isso, poderia mandar-lhe um telegrama... Não, não servia, nem mesmo sabia onde estava hospedado. Não sabia nada: isso era o empecilho, era isso que a incomodava.

E não havia ninguém a quem pudesse pedir conselho. Não a Marcus, que era bondoso, mas que nunca escutava. Não à sra. Cardew Trench (que tinha tido suspeitas desde o princípio). Não à sra. Hamilton Clipp, que tinha desaparecido para Kirkuk. Não ao dr. Rathbone...

Precisava conseguir algum dinheiro, ou conseguir um emprego, qualquer emprego: colar selos num escritório, servir num restaurante... De outra forma, a mandariam para um cônsul e ela seria repatriada para a Inglaterra e nunca mais veria Edward...

Nesse ponto, esgotada pela emoção, Victoria adormeceu.

Acordou algumas horas mais tarde e, decidindo que precisava fazer alguma coisa, desceu para o restaurante e batalhou seu caminho valentemente por todo o cardápio, que era bem generoso. Ao fim, sentiu-se ligeiramente como uma jiboia, mas definitivamente animada. "Não adianta preocupar-me mais", pensou Victoria. "Vou deixar tudo para amanhã. Algo pode aparecer, ou eu poderei pensar em algo, ou Edward pode voltar."

Antes de ir para a cama, passeou até o gramado ao lado do rio.

Já que, no sentir dos moradores de Bagdá, era inverno ártico, ninguém mais estava ali, exceto um dos garçons, que estava debruçado sobre uma amurada, olhando para a água, tendo saltado com um sentimento de culpa quando Victoria apareceu, apressando-se a voltar ao hotel pela entrada de serviço.

Victoria, a quem, vindo da Inglaterra, parecia uma noite de verão comum com um ligeiro aroma no ar, ficou encantada pelo Tigre visto à luz do luar com a margem afastada parecendo misteriosa e oriental com a sua moldura de palmeiras.

— Bem, de qualquer forma, cheguei até aqui — disse Victoria, animando-se um bocado — e me ajeitarei de qualquer maneira. Alguma coisa tem de acontecer.

Com esse pronunciamento à moda de Micawber, ela subiu, foi para a cama, e o garçom saiu de novo, sorrateiramente, e concluiu a sua tarefa de prender uma corda cheia de nós que ficou pendurada para a margem do rio.

Em pouco tempo, outra figura saiu das sombras e juntou-se a ele. O sr. Dakin disse em tom baixo:

— Tudo em ordem?

— Sim, senhor, nada suspeito a relatar.

Tendo completado a tarefa de forma que julgou satisfatória, o sr. Dakin voltou para as sombras, trocou o casaco branco de garçom pelo seu próprio, um azul listrado indefinido, e perambulou suavemente ao longo do gramado até que ficou destacado contra a beira da água, justamente onde a escada levava à rua embaixo.

— Tem estado bastante frio à noite esses dias — disse Crosbie, vindo do bar para reunir-se a ele. — Suponho que você não o sente tanto, vindo de Teerã.

Ficaram ali por alguns momentos, fumando. A menos que levantassem as vozes, ninguém podia ouvi-los. Crosbie disse mansamente:

— Quem é a pequena?

— Aparentemente, sobrinha do arqueólogo Pauncefoot Jones.

— Oh, bem... isso não seria problema. Mas vindo no mesmo avião que Crofton Lee...

— Certamente será bom — disse Dakin — não nos fiarmos em nada.

Os homens fumaram em silêncio por alguns momentos.

Crosbie disse:

— Você realmente acha aconselhável mudar a coisa da embaixada para cá?

— Acho, sim.

— Apesar de tudo estar arranjado até os mínimos detalhes em Basrah... e isso saiu errado.

— Oh, eu sei. Mohammed Salah Hassan, aliás, foi envenenado.

— Sim, é verdade. Havia qualquer sinal de uma aproximação com o consulado?

— Suspeito de que possa ter havido um bocado de encrenca ali. Um cara puxou um revólver... — Fez uma pausa, e acrescentou: — Richard Baker o agarrou e desarmou.

— Richard Baker — disse Dakin pensativamente.

— Conhece-o? Ele é...

— Sim, conheço.

Houve uma pausa, e então Dakin disse:

— Improvisação. É no que estou apostando. Se nós temos, como você diz, tudo arrumado, e nossos planos são conhecidos, então é fácil para o outro lado ter-se arrumado também. Duvido muito que Carmichael tenha conseguido chegar mesmo perto da embaixada... e mesmo que tivesse chegado lá... — Meneou a cabeça.

— Aqui, apenas você, eu e Crofton Lee estamos a par do que está acontecendo.

— Eles saberão que Crofton Lee mudou da embaixada para cá.

— Oh, naturalmente. Isso era inevitável. Mas você não vê, Crosbie, que qualquer que seja o espetáculo que armem contra a nossa improvisação terá que ser improvisado também? Tem de ser pensado e arranjado apressadamente. Tem de vir, por assim dizer, do lado de fora. Não se trata absolutamente de alguém ter-se estabelecido no Tio seis meses atrás, esperando. O Tio nunca esteve em cena até agora. Nunca houve qualquer ideia ou sugestão de usar o Tio como lugar de encontro.

Olhou para seu relógio.

— Vou subir e falar com Crofton Lee.

A mão erguida de Dakin não teve necessidade de bater à porta de Sir Rupert. Ela se abriu silenciosamente para deixá-lo entrar.

O viajante tinha somente uma pequena lâmpada de leitura acesa e havia posto sua cadeira ao lado. Ao sentar-se de novo, empurrou suavemente uma pequena automática na mesinha ao alcance da mão.

Falou:

— Que tal, Dakin? Acha que ele virá?

— Acho que sim, Sir Rupert. — Em seguida, disse: — Nunca chegou a encontrar-se com ele, não foi?

O outro meneou a cabeça.

— Não. Espero encontrá-lo esta noite. Aquele jovem, Dakin, deve ter tutano.

— Oh, sim — disse o sr. Dakin com voz inexpressiva.
— Ele tem tutano.

Parecia um pouco surpreso pelo fato de que isso tinha de ser constatado.

— Não quero dizer apenas coragem — disse o outro. — Muita coragem na guerra... admirável... quero dizer...

— Imaginação? — sugeriu Dakin.

— Sim. Ter a coragem de acreditar em alguma coisa que não é nem um pouco provável. Arriscar sua vida por achar que uma história ridícula não é de todo ridícula. Isso requer alguma coisa que o jovem moderno geralmente não tem. Espero que ele venha.

— Acho que virá — disse o sr. Dakin.

Sir Rupert olhou-o insistentemente.

— Você tem tudo arranjado?

— Crosbie está na varanda, e eu ficarei vigiando a escada. Quando Carmichael chegar até você, bata na parede, e eu entrarei.

Crofton Lee fez que sim com a cabeça.

Dakin saiu mansamente da sala. Dobrou à esquerda, dirigiu-se ao terraço e foi para o canto oposto. Ali também uma corda cheia de nós caía por sobre a amurada e chegava à terra na sombra de um eucalipto e alguns arbustos de olaia.

O sr. Dakin voltou, passando pela porta de Crofton Lee, para seu próprio quarto. Seu quarto tinha uma segunda porta, que levava à uma passagem por trás dos quartos e abria a alguns metros do alto da escada. Com esta porta discretamente aberta, o sr. Dakin aprontava-se para a sua vigília.

Foi cerca de quatro horas mais tarde que uma *gufa*, embarcação primitiva do Tigre, veio mansamente, correnteza abaixo, e chegou à margem do baixio enlameado, embaixo do hotel Tio. Alguns momentos mais tarde, uma figura magra subiu pela corda e ficou agachada entre as olaias.

Capítulo 13

Victoria pretendia ir para a cama, dormir e deixar todos os problemas para a manhã seguinte, mas, tendo dormido já a maior parte da tarde, ela se sentia absolutamente acordada.

Finalmente ligou a luz, terminou a leitura de uma reportagem da revista que tinha começado a ler no avião; serziu as suas meias; experimentou as meias novas de *nylon*; escreveu diversos anúncios diferentes procurando emprego (podia perguntar pela manhã onde deviam ser publicados); escreveu três ou quatro cartas experimentais à sra. Hamilton Clipp, cada qual apresentando um conjunto diferente e mais engenhoso de circunstâncias explicando por que ela ficara *encalhada* em Bagdá; esboçou um ou dois telegramas pedindo ajuda ao seu único parente vivo, um cavalheiro muito velho, ranzinza e desagradável no Norte da Inglaterra, que nunca tinha auxiliado ninguém em sua vida; experimentou um novo tipo de penteado e, finalmente, com um súbito bocejo, resolveu que, enfim, estava desesperadamente sonolenta e pronta para a cama e o repouso.

Foi neste momento que, sem qualquer aviso, a porta de seu dormitório se abriu, um homem se esgueirou para dentro, rodou a chave na fechadura atrás de si e lhe disse com urgência:

— Pelo amor de Deus, me esconda em algum lugar... rápido...

As reações de Victoria nunca foram lentas. Num piscar de olhos, notara a respiração laboriosa, a voz sumida, a maneira pela qual o homem segurava uma velha echarpe vermelha de tricô amassada contra o peito, agarrando-a desesperadamente com a mão. Reagiu imediatamente à aventura.

O quarto não se prestava a muitos lugares de esconderijo. Havia o armário, um gaveteiro, uma mesa e a penteadeira extremamente pretensiosa. A cama era grande, quase dupla, e memórias de brincadeiras infantis de esconder tornaram as reações de Victoria imediatas.

— Depressa — disse ela. Tirou travesseiros e levantou a colcha e a fronha. O homem se deitou na cama. Victoria puxou lençol e colcha sobre ele, amontoou os travesseiros por cima e sentou-se na beira da cama.

Quase imediatamente veio uma batida insistente à porta.

— Quem é? — gritou Victoria numa voz levemente alarmada.

— Por favor — disse uma voz masculina do lado de fora. — Abra, por favor, é a polícia.

Victoria atravessou o quarto, enfiando o *peignoir*. Ao fazê-lo, notou a echarpe vermelha tricotada do homem no chão, recolheu-a e jogou-a numa gaveta; em seguida, girou a chave e abriu um pouco a porta do quarto, olhando para fora com uma expressão de alarme.

Um jovem de cabelos escuros, de terno malva listrado, estava do lado de fora e, atrás dele, um homem num uniforme de oficial da polícia.

— O que há? — perguntou Victoria, deixando um tremor entrar em sua voz.

O jovem sorriu e falou num inglês bastante passável:

— Sinto muito, senhorita, perturbá-la a estas horas — disse ele —, mas estamos com um criminoso fugido. Ele correu para dentro deste hotel. Temos de procurar em todos os quartos. É um homem muito perigoso.

— Nossa! — Victoria escancarou a porta. — Entre, por favor, e veja. Que assustador! Olhe no banheiro, por favor. E no armário... e... será que poderia olhar debaixo da cama? Ele pode ter estado aí a noite toda.

A busca foi muito rápida.

— Não, não está aqui.

— Tem certeza de que não está debaixo da cama? Ora, que estúpido de minha parte. Ele não pode estar aqui de modo algum. Eu fechei a porta quando fui para a cama.

— Obrigado, senhorita, e boa noite.

O jovem inclinou-se e retirou-se com seu assistente uniformizado.

Victoria, seguindo-o até a porta, perguntou:

— Não é melhor fechar de novo? Para estar segura.

— Sim, será melhor, certamente. Obrigado.

Victoria fechou a porta de novo e ficou ao lado dela por alguns minutos. Escutou os oficiais de polícia baterem da mesma forma à porta do outro lado do corredor, ouviu a porta abrir-se, uma troca de comentários, e a voz rouca indignada da sra. Cardew Trench, e, em seguida, a porta se fechando. Reabriu-se alguns minutos mais tarde, e o som de passos ficou mais distante no corredor. A batida veio de muito mais longe.

Victoria voltou-se e caminhou pelo quarto, em direção à cama. Deu-se conta de que provavelmente tinha sido excessivamente boba. Arrastada pelo espírito romântico e pelo som de sua própria língua, tinha impulsivamente dado auxílio a quem era provavelmente um criminoso muito perigoso. Uma disposição de estar do lado do caçado contra o caçador às vezes traz consequências desagradáveis. "Ora", pensou Victoria, "agora estou metida nisso de qualquer jeito!".

De pé ao lado da cama, disse brevemente:

— Levante-se.

Não houve movimento, e Victoria disse asperamente, embora sem levantar a voz.

— Já foram embora. Pode se levantar agora.

Mesmo assim não houve sinal de movimento debaixo do monte de travesseiros ligeiramente levantado. Impacientemente, Victoria jogou-os todos para baixo.

O jovem estava deitado exatamente como o tinha deixado. Mas, agora, seu rosto estava de uma cor cinzenta esquisita e seus olhos estavam fechados.

Então, perdendo o fôlego, Victoria notou algo mais: uma mancha vermelha brilhante filtrando-se para o lençol.

— Oh, não — exclamou Victoria, quase como que implorando a alguém. — Oh, não! Não!

E, como que em reconhecimento deste apelo, o homem ferido abriu os olhos. Olhou-a, olhou como de muito longe para algum objeto que não estava seguro de estar vendo.

Seus lábios se entreabriram; o som era tão tênue que Victoria quase não escutou.

Abaixou-se.

— O quê?

Ouviu desta vez. Com dificuldade, grande dificuldade, o jovem disse duas palavras. Se ela as escutava corretamente ou não, Victoria não sabia. Pareciam bastante sem sentido e significado. O que ele dizia era:

— *Lúcifer... Basrah...*

As pálpebras baixaram e estremeceram sobre os olhos ansiosos arregalados. Disse mais uma palavra, um nome. Em seguida, sua cabeça sacudiu-se um pouco para trás, e ele ficou quieto.

Victoria ficou bem firme, seu coração batendo violentamente. Estava tomada por piedade e raiva. Não tinha ideia do que fazer em seguida. Tinha de chamar alguém, fazer vir alguém. Ela estava ali, sozinha, com um homem morto e, mais cedo ou mais tarde, a polícia iria querer uma explicação.

Enquanto seu cérebro trabalhava rapidamente na situação, um pequeno ruído fez sua cabeça voltar-se. A chave tinha caído da porta de seu dormitório e, enquanto estava olhando para ela, escutou o ruído da fechadura girando. A porta abriu-se, e o sr. Dakin entrou, cuidadosamente, fechando a porta atrás dele.

Caminhou para ela, dizendo mansamente:

— Bom trabalho, querida. Você pensa depressa. Como é que ele está?

Com a voz engasgada, Victoria disse:

— Penso que está... está morto.

Viu o rosto do outro alterar-se, captou apenas um lampejo de raiva intensa, e então o seu rosto era justamente como o tinha visto no dia anterior, só que agora lhe parecia que a indecisão e a flacidez do homem tinham desaparecido, dando lugar a algo muito diferente.

Ele se abaixou e gentilmente afrouxou a túnica esfarrapada.

— Esfaqueado, limpo, no coração — disse Dakin ao endireitar-se. — Era um rapaz bravo... e esperto.

Victoria encontrou a sua voz.

— A polícia esteve aqui. Disseram que era um criminoso. Era um criminoso?

— Não, não era um criminoso.

— Eles eram... eram da polícia?

— Não sei — disse Dakin. — Podem ser. É tudo a mesma coisa.

Em seguida, perguntou-lhe:

— Ele disse alguma coisa... antes de morrer?

— Sim.

— O que era?

— Ele disse "Lúcifer"... e em seguida "Basrah". E, depois de uma pausa, ele disse um nome... parecia um nome francês... mas pode ser que eu não tenha entendido direito.

— O que lhe parecia?

— Creio que era Lefarge.

— Lefarge — repetiu Dakin pensativamente.

— Que significa tudo isso? — perguntou Victoria e acrescentou com certo desânimo: — E que devo fazer?

— Temos de tirá-la disso até onde pudermos — disse Dakin. — Quanto ao que vem a ser tudo isso, voltarei e lhe direi mais tarde. A primeira coisa a fazer é localizar Marcus. O hotel é dele, e Marcus tem muito bom senso, embora a gente nem sempre perceba isso ao falar com ele. Vou localizá-lo. Não terá ido para a cama. É apenas 1h30. Ele raramente vai para a cama antes das duas horas.

Apenas trate de sua aparência antes que eu o traga para cá. Marcus é muito suscetível à beleza em apuros.

Saiu do quarto. Como que num sonho, ela foi até a penteadeira, penteou o cabelo para trás, pintou seu rosto numa palidez que lhe ficava bem e deixou-se cair numa cadeira ao escutar passos que se aproximavam. Dakin entrou sem bater. Por trás dele se avolumava o vulto de Marcus Tio. Desta vez Marcus estava sério. O sorriso costumeiro não estava em sua face.

— Agora, Marcus — disse o sr. Dakin —, você deve fazer o que puder a respeito disso. Foi um choque terrível para esta pobre moça. O camarada entrou, desmoronou... Ela tem um coração muito gentil e escondeu-o da polícia. E agora está morto. Ela não devia ter feito isto, talvez, mas moças têm o coração mole.

— Naturalmente ela não gostou da polícia — disse Marcus. — Ninguém gosta da polícia. Eu não gosto da polícia, mas tenho de estar de bem com eles por causa do meu hotel. Quer que eu os suborne?

— Queremos apenas ficar livres do corpo em silêncio.

— Isso é muito bonito, minha cara. E eu, também, não quero um cadáver no meu hotel. Mas, como você diz, não é tão fácil de fazer.

— Acho que poderá ser feito — disse Dakin. — Você tem um médico na família, não é?

— Sim. Paul, o marido de minha irmã, é médico. É um rapaz muito bom. Mas não o quero metido em encrencas.

— Não vai ficar — disse Dakin. — Escute, Marcus. Levamos o corpo do quarto da srta. Jones para o meu quarto. Isso a tira fora. Em seguida, uso o seu telefone. Em dez minutos, um jovem vem cambaleando da rua para dentro do hotel. Ele está muito bêbado, mal se aguenta em pé. Quer falar comigo a plenos pulmões. Vai cambaleando para o meu quarto e desfalece. Eu saio, chamo você e peço um médico. Você apresenta seu cunhado. Ele manda vir uma ambulância e vai nela com este meu amigo bêbado. Antes de eles chegarem ao hospital, meu amigo morre. Foi esfaqueado na rua antes de entrar no seu hotel.

— Meu cunhado leva o corpo... e o jovem que faz o papel de bêbado vai embora silenciosamente, de manhã talvez.

— É essa a ideia.

— E não tem cadáver encontrado em meu hotel? E a srta. Jones não fica com qualquer preocupação ou aborrecimento. Acho, meu caro, que tudo isso é muito boa ideia.

— Ótimo, então se você verificar se a barra está limpa, vou levar o corpo para o meu quarto. Esses seus empregados ficam perambulando pelos corredores a metade da noite. Vá para o seu quarto e faça o maior tumulto. Mande todos eles correndo buscar coisas para você.

Marcus anuiu e saiu do quarto.

— Você é uma pequena forte — disse Dakin. — Pode ajudar-me a carregá-lo pelo corredor para o meu quarto?

Victoria assentiu. Os dois levantaram o corpo mole, carregaram-no pelo corredor deserto (a distância, a voz alta de Marcus podia ser ouvida, em raiva furiosa) e deitaram-no na cama de Dakin.

Dakin disse:

— Tem uma tesoura? Então corte a parte de cima do seu lençol onde ficou manchado. Não acho que a mancha tenha atravessado para o colchão. A túnica chupou a maior parte. Estarei com você em aproximadamente uma hora. Ora, espere um minuto, tome um trago deste meu frasco.

Victoria obedeceu.

— Muito bem — disse Dakin. — Agora, volte para o seu quarto. Apague a luz. Como eu disse, estarei lá em uma hora.

— E vai me dizer o que significa tudo isso?

Ele lançou-lhe um olhar demorado, bastante peculiar, mas não respondeu à sua pergunta.

Capítulo 14

Victoria estava deitada na cama, com a luz apagada, escutando na escuridão. Escutou sons de alteração bêbada em voz alta. Escutou uma voz declarar:

— Senti que tinha de trancá-lo, meu velho. Briga com um cara lá fora.

Escutou o soar de companhias. Outras vozes. Um bocado de confusão. Em seguida, veio um lapso de silêncio relativo, exceto pelo som distante de música árabe num gramofone no quarto de alguém. Quando lhe parecia que horas tinham passado, escutou o suave abrir de sua porta, sentou-se na cama e acendeu a lâmpada de cabeceira.

— Isso mesmo — disse Dakin, aprovadoramente.

Trouxe uma cadeira para a beira da cama e sentou-se nela. Ficou sentado ali, olhando-a de modo pensativo, como um médico fazendo um diagnóstico.

— Conte-me o que vem a ser tudo isso — pediu Victoria.

— Que tal — disse Dakin — contar primeiro tudo a seu respeito? O que está fazendo aqui? Por que veio para Bagdá?

Quer tenham sido os acontecimentos da noite, quer tenha sido algo na personalidade de Dakin (Victoria mais tarde pensou que tinha sido o último), ela, desta vez, não lançou mão de um relato inspirado de sua presença em Bagdá. Bastante simples e diretamente, contou-lhe tudo. Seu encontro com Edward, sua determinação de ir para Bagdá, o milagre da sra. Hamilton Clipp e seu próprio debacle financeiro.

— Estou vendo — disse Dakin quando ela terminou.

Ficou em silêncio por um momento antes de falar.

— Talvez eu quisesse deixá-la fora disso. Não tenho certeza. Mas o caso é que você não pode ser mantida fora disso. Está metida nisso quer goste, quer não. E, já que está metida nisso, poderá muito bem trabalhar para mim.

— Tem um emprego para mim? — Victoria sentou-se na cama, suas faces brilhantes de antecipação.

— Talvez, mas não da espécie que você está pensando. Este é um trabalho sério, Victoria. E é perigoso.

— Oh, está muito bem — disse Victoria animadamente. Acrescentou duvidosa:

— Não é desonesto, é? Porque, embora eu saiba que conto um monte de mentiras, não gostaria de fazer algo que fosse realmente desonesto.

Dakin sorriu um pouco.

— Por estranho que pareça, a sua capacidade de pensar rapidamente numa mentira convincente é uma das suas qualificações para o trabalho. Não, não é desonesto. Pelo contrário, você está alistada na causa da lei e da ordem. Vou pô-la a par da situação, apenas de um modo geral, para que possa compreender completamente o que está fazendo e exatamente quais são os perigos. Você parece uma moça sensata, e não creio que tenha pensado muito sobre política mundial, o que vem a dar na mesma, porque, como Hamlet sabiamente comentou: "Não há nada nem bom nem mau, mas pensar o faz ficar assim."

— Sei que todo o mundo diz que vai haver outra guerra mais cedo ou mais tarde — disse Victoria.

— Exatamente — disse Dakin. — Por que é que todo o mundo diz isso, Victoria?

Ela franziu a testa.

— Ora, porque a Rússia... os comunistas... a América — ela parou.

— Você vê — disse Dakin. — Estas não são as suas próprias opiniões ou palavras. São apanhadas dos jornais, da conversa casual e do rádio. Há dois pontos de vista divergentes dominando diferentes partes do mundo; isso é verdade. E são representados superficialmente na mente do público como "Rússia e os comunistas" e "América". Ora, a única esperança para o futuro, Victoria, está na paz, na produção, em atividades construtivas e não destrutivas. Por tudo isso, depende daqueles que defendem esses dois pontos de vista divergentes ou concordarem em divergir — e cada qual se contentando com a sua respectiva esfera de atividade — ou então encontrarem uma base mútua de concordância ou pelo menos tolerância. Em lugar disso, o contrário está acontecendo. Uma cunha está sendo inserida o tempo todo para forçar o afastamento cada vez maior entre esses dois grupos mutuamente suspeitosos. Certas coisas levaram uma ou duas pessoas a acreditar que esta atividade vem de uma terceira parte, ou grupo, trabalhando sob cobertura e, por enquanto, absolutamente insuspeito pelo mundo em geral. Sempre que há possibilidade de um entendimento ser alcançado, ou qualquer sinal de dispersão de suspeita, acontece algum incidente para arremessar um lado de volta à desconfiança, ou o outro lado em medo histérico definitivo! Essas coisas não são acidentes, Victoria, são produzidas deliberadamente para um efeito calculado.

— Mas por que pensa assim, e quem é que está fazendo isso?

— Uma das razões pelas quais pensamos assim é por causa de dinheiro. O dinheiro, você vê, está vindo das fontes erradas. Dinheiro, Victoria, é sempre a grande pista para o que está acontecendo no mundo. Do mesmo modo que um médico toma o seu pulso, para conseguir uma pista sobre seu estado de saúde, assim o dinheiro é o sangue vital que alimenta qualquer grande movimento ou causa. Sem ele, o movimento não pode progredir. Ora, aqui há uma quantidade enorme de dinheiro envolvida e, embora muito espertamente camuflado com arte, certamente há algo errado sobre de onde o dinheiro vem e para onde vai. Uma grande parte de greves não oficiais, diversas ameaças a governos na Europa que demonstram sinais de reconvalescença, são encenadas ou criadas por comunistas zelosos da sua causa, mas os fundos para essas medidas não vêm de fontes comunistas, e, quando se remonta à sua origem, vê-se, vêm de partes muito estranhas e improváveis. Não é dinheiro capitalista, embora naturalmente passe por mãos capitalistas. Outro ponto: enormes somas de dinheiro parecem estar saindo completamente de circulação. Bem, como se você, para simplificar as coisas, gastasse seu ordenado cada semana em coisas — braceletes ou mesas ou cadeiras — e essas coisas, em seguida, desaparecessem ou saíssem de circulação e da vista normal. Em todo o mundo surgiu uma grande demanda por diamantes e outras pedras preciosas. Elas mudam de mãos uma dúzia ou mais de vezes até que finalmente desaparecem e não podem mais ser encontradas.

— Isso, naturalmente, é apenas um esboço amplo e vago. O resultado é que, em algum lugar, um terceiro grupo de pessoas, cuja meta por enquanto é ainda obscura, está fomentando briga e desentendimento, e está ocupado em transações de dinheiro e joias inteligentemente camuflados para seus próprios fins. Temos razões para acreditar que, em todo o país, há agentes desse grupo, alguns estabelecidos há muitos anos. Alguns em posições muito elevadas e de responsabilidade, outros desempenhando papéis humildes, mas todos trabalhando com um fim desconhecido em vista. Em essência, é exatamente como as atividades da Quinta Coluna no começo da última guerra, só que, desta vez, numa escala de âmbito mundial.

— Mas quem são essas pessoas? — perguntou Victoria.

— Não são, acreditamos nós, de alguma nacionalidade especial. O que elas pretendem é, temo, o melhoramento do mundo! A ilusão de que, pela força, se pode impor o milênio à raça humana é uma das ilusões perigosas que existem. Aqueles que estão querendo apenas encher os próprios bolsos pouco podem fazer: a mera cobiça vence seus próprios fins. Mas a crença num superextrato de seres humanos, no super-homem para dominar o resto do mundo decadente, esta, Victoria, é a pior de todas as crenças. Pois quando você diz "Não sou como outros homens", você perdeu as duas mais valiosas qualidades que sempre temos procurado atingir: humildade e fraternidade.

Ele tossiu.

— Bem, não devo pregar um sermão. Deixe-me apenas explicar-lhe o que sabemos. Há diversos centros de atividade: um na Argentina, um no Canadá, certamente um ou mais nos Estados Unidos da América e, eu imaginaria, embora não possamos saber, um na Rússia. E agora chegamos a um fenômeno muito interessante.

"Nos últimos dois anos, 28 jovens cientistas promissores de várias nacionalidades têm silenciosamente desaparecido de seus ambientes. O mesmo tem ocorrido com engenheiros de construção, aviadores, eletricistas e muitos outros profissionais especializados. Esses desaparecimentos têm algo em comum: relacionam-se todos com jovens ambiciosos e sem laços estreitos. Além daqueles que sabemos, deve haver muito, muito mais, e estamos começando a adivinhar algo sobre o que eles poderão estar conseguindo fazer.

Victoria escutava, de sobrancelhas repuxadas.

— Podemos dizer que é impossível para alguém, nestes dias, viver em qualquer país, desconhecido para o resto do mundo. Não me refiro, naturalmente, a atividades subterrâneas; essas podem se realizar em qualquer lugar. Refiro-me a qualquer coisa numa grande escala de produção moderna. E, no entanto, há ainda partes obscuras do mundo, afastadas das rotas comerciais, no meio de povos que ainda têm força para barrar estranhos e que nunca são conhecidos ou visitados, exceto por um viajante solitário e excepcional. Ali poderiam acontecer coisas que nunca penetrariam no mundo exterior, ou que penetrariam apenas como um rumor tênue e ridículo.

"Não precisarei o lugar. Pode ser na China... e ninguém sabe o que se passa no interior da China. Pode ser nos Himalaias, mas a viagem para lá, salvo aos iniciados, é dura e longa. Maquinaria e pessoal despachado de todas as partes do globo chegam lá depois de terem sido desviados de seu destino ostensivo. Não é preciso entrar em pormenores do mecanismo.

"Mas um homem ficou interessado em seguir uma certa trilha. Era um homem incomum, um homem que tinha amigos e contatos por todo o Oriente. Nasceu em Kashgar e conhecia uma vintena de dialetos e línguas locais. Ele suspeitou e seguiu uma trilha. O que ouviu era tão incrível que, quando voltou à civilização e o relatou, não acreditaram nele. Ele admitiu ter tido febre e foi tratado como alguém que tivesse tido um delírio.

"Apenas duas pessoas acreditaram em sua história. Uma delas fui eu mesmo. Nunca faço objeção a acreditar em coisas impossíveis, tão frequentemente elas são verdadeiras. A outra... — hesitou ele.

— Sim? — perguntou Victoria.

— A outra foi Sir Rupert Crofton Lee, um grande viajante, e um homem que tinha ele mesmo viajado por essas regiões remotas e conhecia alguma coisa a respeito de suas possibilidades.

"O resultado de tudo isso foi que Carmichael, o meu homem, decidiu ir e descobrir por si mesmo. Foi uma viagem desesperada e arriscada, mas ele estava tão bem equipado como qualquer outro para realizá-la. Isso foi há nove meses. Nada mais ouvimos até umas poucas semanas atrás, e então chegaram notícias. Ele estava vivo e tinha conseguido o que tinha ido buscar. Provas definitivas.

"Mas o outro lado estava em seu rastro. Era vital para eles que ele nunca regressasse com as suas provas. E nós temos tido ampla evidência de como todo o sistema está permeado e infiltrado com seus agentes. Mesmo no meu departamento há vazamentos. E alguns desses vazamentos, os céus nos protejam, estão em nível muito elevado.

"Cada fronteira tem sido vigiada em busca dele. Vidas inocentes foram sacrificadas por engano, pela sua... Não dão muito valor à vida humana. Mas, de uma forma ou de outra, ele conseguiu atravessar sem um arranhão... até esta noite.

— Então era isso... Quem, quem era ele?

— Sim, minha cara. Um homem muito bravo e indomável.

— Mas... e as provas? Será que eles as pegaram?

Um sorriso muito lento apareceu no rosto cansado de Dakin.

— Não acho que tenham conseguido. Não, conhecendo Carmichael, tenho bastante certeza de que não conseguiram. Mas ele morreu sem poder nos dizer onde estas provas estão e onde encontrá-las. Penso que provavelmente tentou dizer algo, quando estava morrendo, que nos deveria dar a pista. Repetiu lentamente: "Lúcifer", "Basrah", "Lefarge". Ele tinha estado em Basrah, tentou contato com o consulado e, por pouco, escapou de levar bala. É possível que tenha deixado as provas em algum lugar em Basrah. O que eu quero que você faça, Victoria, é ir para lá e tentar descobrir.

— Eu?

— Sim. Você não tem experiência. Não sabe o que está procurando. Mas escutou as últimas palavras de Carmichael, e elas podem sugerir algo a você quando chegar lá. Quem sabe, você poderá ter sorte de principiante?

— Eu adorarei ir para Basrah — disse Victoria avidamente. Dakin sorriu.

— Convém-lhe porque o seu jovem está lá, hein? Muito bem. É uma boa camuflagem. Não há nada como um caso de amor genuíno para camuflagem. Vá para Basrah, fique de olhos e ouvidos abertos e olhe à sua volta. Não posso lhe dar quaisquer instruções sobre como começar as coisas... na realidade, prefiro não fazê-lo. Você parece uma jovem bastante engenhosa. O que significam as palavras Lúcifer e Lefarge... suponho que você escutou corretamente... eu não sei. Estou inclinado a acreditar que Lefarge deve ser um nome. Fique de olho nesse nome.

— Como é que vou para Basrah? — perguntou Victoria, como se estivesse fazendo negócios. — E com que dinheiro?

Dakin tirou a carteira e entregou-lhe um maço de cédulas.

— Aqui está o dinheiro. E quanto a como chegar a Basrah, comece a conversar com aquela velha truta, a sra. Cardew Trench, amanhã de manhã, diga que está ansiosa por visitar Basrah, antes de ir para essa escavação onde você pretende trabalhar. Pergunte-lhe sobre um hotel. Ela vai lhe dizer imediatamente que deverá ficar no consulado e mandará um telegrama para a sra. Clayton. Provavelmente encontrará seu Edward lá. Os Clayton conservam a casa aberta, cada um que passa por lá fica com eles. Além disso, não posso lhe dar quaisquer palpites, exceto um: se... é... hum... qualquer coisa desagradável acontecer, se lhe perguntarem o que sabe e quem mandou fazer o que está fazendo, não tente ser heroica. Conte tudo logo de uma vez.

— Muito obrigada — disse Victoria, agradecida. — Sou uma covarde quanto à dor, e, se alguém quisesse torturar-me, temo que não seria capaz de aguentar.

— Não vão se incomodar em torturá-la — disse Dakin. — A não ser que entre algum elemento sádico. Tortura é uma coisa muito antiquada. Uma pequena fisgada com uma agulha e você responde qualquer pergunta com a verdade e nem sabe o que está fazendo. Estamos vivendo numa idade científica. É por isso que não quero que você fique com grandes ideias de segredo. Você não lhes estará contando nada que eles já não saibam. Eles saberão a meu respeito. Terão de saber depois desta noite. E a respeito de Rupert Crofton Lee.

— E a respeito de Edward? Eu lhes conto?

— Isso tenho de deixar a seu cargo. Teoricamente, você deve ficar de bico calado diante de todos sobre o que está fazendo. Praticamente — suas sobrancelhas ergueram-se interrogativamente — você o coloca em perigo também. Há esse aspecto da coisa. No entanto, sei que ele tem uma boa ficha na Força Aérea. Não creio que se preocupe com o perigo. Duas cabeças frequentemente são melhores do que uma. Então ele pensa que algo cheira mal a respeito deste Ramo de Oliveira para o qual está trabalhando? Isso é interessante... muito interessante.

— Por quê?

— Porque nós também pensamos — disse Dakin. Em seguida, acrescentou:

— Só mais duas observações de despedida. Primeiro, se não se importa que o diga, não conte muitas mentiras diferentes. É mais difícil de lembrar e representar. Sei que é um bocado *virtuose*, mas conserve a coisa simples, é este o meu conselho.

— Vou lembrar — retrucou Victoria com uma humildade que lhe ficava bem. — E o outro conselho?

— Apenas fique de ouvidos atentos a qualquer menção de uma jovem chamada Anna Scheele.

— Quem é ela?

— Não sabemos muito a respeito dela. Bem que gostaríamos de mais algumas informações.

Capítulo 15

I

— Naturalmente você tem de ficar no consulado — disse a sra. Cardew Trench. — Bobagem, minha querida, você não pode ficar no hotel Aeroporto. Os Clayton ficarão encantados em hospedá-la. Eu os conheço há anos. Vamos mandar um telegrama, e você pode ir lá pelo trem noturno de hoje. Eles conhecem bem o dr. Pauncefoot Jones.

Victoria teve a elegância de corar. O bispo de Llangow, aliás, o bispo de Languao era uma coisa; um dr. Pauncefoot Jones de carne e osso era bem outra.

"Suponho", pensou Victoria com um sentimento de culpa, "que poderia ser mandada para a prisão por isso... falsidade ideológica ou qualquer coisa assim".

Em seguida, animou-se, refletindo que era apenas quando se procurava obter dinheiro sob falsas alegações que os rigores da lei eram postos em movimento. Se isso realmente era ou não assim, Victoria não sabia, sendo tão ignorante em leis quanto a maioria das pessoas comuns, mas isso tinha um tom animador.

A viagem de trem teve toda a fascinação de uma novidade — no pensamento de Victoria o trem dificilmente poderia ser um expresso —, mas ela tinha começado a tornar-se consciente de sua impaciência ocidental.

Um carro do consulado foi encontrá-la na estação, e ela foi levada para lá. Por grandes portões, o carro entrou num jardim delicioso e parou à frente de um lance de escadas que levava para um terraço que circundava a casa. A sra. Clayton, uma mulher sorridente, enérgica, vinha pela porta de vaivém de mosquiteiro para saudá-la.

— Estamos tão contentes por vê-la — disse ela. — Basrah é realmente deliciosa nesta época do ano e você não deveria deixar o Iraque sem vê-la. Felizmente não há muita gente aqui no momento... Às vezes não sabemos como nos virar para acomodar as pessoas, mas não há ninguém aqui agora, exceto o jovem do dr. Rathbone, que é bem encantador. Acabou de desencontrar do sr. Richard Baker, por falar nisso. Ele tinha partido antes de eu receber o telegrama da sra. Cardew Trench.

Victoria não tinha ideia de quem fosse Richard Baker, mas parecia afortunado que tivesse partido naquele momento.

— Ele foi para o Kuwait por dois dias — continuou a sra. Clayton. — Agora, esse é um lugar que precisa ver antes que fique estragado. Ouso afirmar que, em breve, o será. Qualquer lugar fica estragado mais cedo ou mais tarde. O que você prefere primeiro: um banho ou café?

— Um banho, por favor — respondeu Victoria, agradecida.

— Como está a sra. Cardew Trench? Este é o seu quarto, e o banheiro é por aqui. Ela é uma velha amiga sua?

— Oh, não — disse Victoria sem mentir. — Eu acabei de conhecê-la.

— E suponho que ela a tenha virado do avesso no primeiro quarto de hora. É uma fofoqueira terrível, como penso que já o saiba. Tem mania de querer saber tudo sobre todo o mundo. Mas é muito boa companhia e uma jogadora de bridge realmente de primeira. Agora, tem certeza de que não quer um café ou qualquer outra coisa primeiro?

— Não, realmente.

— Muito bem... Então, a verei mais tarde. Tem tudo de que precisa?

A sra. Clayton zumbiu para fora como uma abelha alegre, e Victoria tomou um banho e tratou de seu rosto e de seu cabelo com o cuidado meticuloso de mulher jovem que brevemente se encontrará com um jovem que se apoderou de sua fantasia.

Se possível, Victoria esperava encontrar Edward sozinho. Ela não pensava que ele faria quaisquer comentários sem tato: felizmente ele a conhecia como Jones e o Pauncefoot adicional não lhe causaria surpresa. A surpresa efetiva era que ela estivesse no Iraque, e, por isso, Victoria esperava que o pudesse encontrar sozinho, nem que fosse por um ou dois escassos segundos.

Com esta meta em vista, quando tinha vestido um costume de verão (o clima de Basrah lembrava-lhe um dia de junho em Londres), ela se esgueirou mansamente pela porta do mosquiteiro e assumiu sua posição na varanda, onde poderia interceptar Edward quando ele chegasse de volta do que quer que estivesse fazendo — brigando com os funcionários da Alfândega, presumia.

O primeiro a chegar foi um homem magro, com um rosto pensativo, e, quando ele subiu os degraus, Victoria esgueirou-se pela esquina do terraço. Ao fazer isso, realmente viu Edward entrando por uma porta do jardim que dava para a curva do rio.

Fiel à tradição de Julieta, Victoria debruçou-se sobre o balcão e jogou um beijo prolongado.

Edward (que estava parecendo, ao que Victoria pensava, mais atraente do que nunca) voltou sua cabeça abruptamente, olhando à sua volta.

— Psiu, aqui em cima — chamou Julieta em voz baixa.

Edward ergueu a cabeça, e uma expressão de extremo espanto apareceu em sua face.

— Bom Deus! — exclamou ele. — É Charing Cross!

— Quieto. Espere por mim. Estou descendo.

Victoria correu ao redor do terraço, escada abaixo e, pela esquina da casa, até onde Edward tinha ficado obedientemente em pé, a expressão de aturdimento ainda em seu rosto.

— Não posso estar bêbado tão cedo ainda — disse Edward. — É você?

— Sim, é eu — disse Victoria alegre e pouco gramaticalmente.

— Mas o que está fazendo aqui? Como chegou até aqui? Eu pensei que nunca mais a veria.

— Eu também pensei assim.

— É realmente um milagre. Como foi que você chegou até aqui?

— Vim voando.

— Claro que você voou. Não poderia ter chegado aqui em tempo de outra forma. Mas, quero dizer, que abençoado e maravilhoso acaso a trouxe para Basrah?

— O trem — respondeu Victoria.

— Você está fazendo isso de propósito, seu pequeno monstro. Céus, estou contente em vê-la. Mas como foi que você realmente chegou aqui?

— Vim com uma mulher que tinha quebrado o braço... uma sra. Clipp, uma americana. Ofereceram-me o emprego no dia seguinte ao nosso encontro, e você tinha falado de Bagdá e eu estava um pouquinho chateada com Londres; pensei, então, "por que não ver o mundo?".

— Você é realmente muito esportiva, Victoria. Onde está essa Clipp, aqui?

— Não, foi ter com uma filha perto de Kirkuk. Foi somente um trabalho de viagem.

— Então o que está fazendo agora?

— Ainda estou vendo o mundo — disse Victoria. — Mas foram precisos alguns subterfúgios. Por isso, eu queria falar com você antes que nos encontrássemos em público. Isto é, eu não quero que você faça quaisquer referências a estenodatilógrafa sem emprego que eu era quando você me viu pela última vez.

— No que me diz respeito, você é tudo o que diz ser. Estou pronto para instruções.

— A ideia é — disse Victoria — que sou a srta. Pauncefoot Jones. Meu tio é um eminente arqueólogo que está fazendo escavações em alguns lugares mais ou menos inacessíveis por aqui, e eu vou reunir-me a ele brevemente.

— E nada disso é verdade?

— Claro que não. Mas faz uma história bem bonita.

— Oh, sim, excelente. Mas suponha que você e o velho Pussyfoot Jones se encontrem cara a cara.

— Pauncefoot. Não creio que isso seja provável. Tanto quanto eu percebo, uma vez que os arqueólogos começam a escavar, eles continuam cavando feito doidos e não param de cavar.

— Ou mais como *terriers*. Há muito de verdade no que você diz. Será que ele tem realmente uma sobrinha?

— Como quer que eu saiba? — perguntou Victoria.

— Oh, então você não está personificando ninguém em particular. Isso torna a coisa mais fácil.

— Sim, no fim das contas, um homem pode ter uma porção de sobrinhas. Ou, num aperto, posso dizer que sou apenas uma prima, mas que sempre o chamei de tio.

— Você pensa em tudo — admitiu Edward com admiração. — Você é realmente uma pequena espantosa, Victoria. Nunca encontrei ninguém como você. Pensei que não a veria de novo por anos e, quando a visse, você teria esquecido de tudo a meu respeito. E agora, aqui está você.

O olhar de admiração e humildade que Edward lhe lançou causou intensa satisfação a Victoria. Se ela fosse um gato, estaria ronronando agora.

— Mas você vai querer um emprego, não é? — disse Edward.

— Quero dizer, você não recebeu uma fortuna repentina ou qualquer coisa assim?

— Longe disso! — disse Victoria lentamente. — Vou precisar de um emprego, sim. Na realidade, eu fui àquele tal de Ramo de Oliveira e falei com o dr. Rathbone e lhe pedi um emprego, mas ele não foi receptivo... quer dizer, quanto a um emprego remunerado.

— O velhote é bem seguro com dinheiro — disse Edward. — Sua ideia é que todo o mundo vem e trabalha pelo amor da coisa.

— Você acha que ele é um vigarista, Edward?

— N... não. Não sei exatamente o que pensar. Mas não vejo como pode deixar de ser legal... Ele não ganha dinheiro nenhum com o espetáculo. Até onde posso ver, todo aquele entusiasmo terrífico tem de ser genuíno. E, no entanto, eu não sinto realmente que ele seja um trouxa, sabe?

— É melhor entrarmos — disse Victoria. — Poderemos falar mais tarde.

II

— Eu não tinha ideia de que você e Edward se conheciam — exclamou a sra. Clayton.

— Oh, somos velhos amigos — riu-se Victoria. — Acontece apenas que nos perdemos de vista. Não tinha ideia de que Edward estava neste país.

O sr. Clayton, que era o homem quieto de aspecto pensativo que Victoria tinha visto subir a escada, perguntou:

— Que tal se saiu esta manhã, Edward? Algum progresso?

— Parece muito trabalho montanha acima, senhor. As caixas dos livros estão ali, todas presentes e corretas, mas as formalidades para liberá-las parecem intermináveis.

Clayton sorriu.

— As táticas protelatórias do Oriente são novas para você.

— O funcionário específico que é preciso ver sempre parece estar ausente naquele dia — queixou-se Edward. — Todo o mundo é muito agradável e cooperante... apenas nada parece acontecer.

Todo o mundo riu, e a sra. Clayton disse consoladoramente:

— Você só conseguirá passar no final. Bastante inteligente da parte do dr. Rathbone mandar alguém pessoalmente. De outra forma, provavelmente ficariam aqui durante meses.

— São muito desconfiados acerca de bombas. Também de literatura subversiva. Suspeitam de tudo.

— O dr. Rathbone não está mandando para cá bombas disfarçadas em livros, espero eu — disse a sra. Clayton, rindo.

Victoria pensou ter visto um súbito tremor no olho de Edward, como se o comentário da sra. Clayton tivesse aberto uma nova linha de pensamento.

O sr. Clayton disse com uma ligeira indicação de reprimenda:

— O dr. Rathbone é um homem muito estudado e conhecido, minha cara. É membro de várias sociedades importantes e respeitado em toda a Europa.

— Isso tornaria tanto mais fácil para ele contrabandear bombas para cá — indicou a sra. Clayton com espírito irreprimível.

Victoria pôde ver que Gerald Clayton não estava gostando muito dessa sugestão leviana.

Franziu a testa para sua mulher.

Os negócios estando parados durante as horas do meio-dia, Edward e Victoria saíram depois do almoço para passear e ver a paisagem. Victoria ficou encantada com o rio, o Shatt el Arab, com a sua moldura de plantações de tamareiras. Adorou o aspecto veneziano dos botes árabes de proa alta amarrados no canal, mais acima, na cidade. Em seguida, perambularam pelo *suq* e olharam arcas de noiva do Kuwait, guarnecidas com latão em desenhos e outras mercadorias atraentes.

Quando voltavam em direção ao consulado e Edward estava se preparando para entrar no departamento da alfândega mais uma vez, Victoria perguntou, subitamente:

— Edward, qual é o seu nome?

Edward olhou-a.

— Do que você está falando, Victoria?

— Seu último nome. Você não sabe que eu não o conheço?

— Não conhece? É, suponho que não. É Goring.

— Edward Goring. Não faz ideia de como me senti idiota indo para aquele lugar do Ramo de Oliveira, querendo perguntar por você, sem saber mais nada a não ser Edward.

— Havia uma moça escura ali? Cabelo extremamente comprido amontoado?

— Sim.

— Essa é Catarina. Ela é muito boa. Se você tivesse dito Edward, ela teria sabido imediatamente.

— Garanto que sim — disse Victoria com reserva.

— Ela é uma pequena formidável. Você não acha?

— Oh, sim...

— Não realmente bonita... Na realidade, nada muito para se olhar, mas é tremendamente simpática.

— É? — A voz de Victoria agora estava positivamente glacial, mas Edward aparentemente não notava nada.

— Realmente não sei o que teria feito sem ela. Ela me pôs a par de tudo e me ajudou quando eu poderia ter bancado o trouxa. Tenho certeza de que ela e você vão ser grandes amigas.

— Não acredito que tenhamos a oportunidade.

— Oh, sim, terão. Vou arranjar-lhe um emprego no espetáculo.

— Como vai arranjar isso?

— Não sei, mas conseguirei de alguma forma. Direi ao velho Rathbone que maravilhosa datilógrafa *et cetera* você é.

— Ele logo descobrirá que não sou — disse Victoria.

— De qualquer forma, eu a levarei para o Ramo de Oliveira, não vou deixá-la zanzando por aí por sua conta. A próxima notícia que eu teria é a de que você estaria de partida para Birmânia ou África Negra. Não, jovem Victoria, vou conservá-la bem sob as minhas vistas. Não vou correr qualquer risco de você fugir de mim. Não confio em você nem uma polegada. Você gosta demais de ver o mundo.

"Seu querido maluco", pensou Victoria, "você não sabe que cavalos selvagens não poderiam arrastar-me para longe de Bagdá!".

Em voz alta disse:

— Bem, seria bem divertido ter um emprego no Ramo de Oliveira.

— Eu não o descreveria como divertimento. É tudo terrivelmente sério. Apesar de ser absolutamente lunático.

— E você ainda pensa que há qualquer coisa de errado com isso?

— Oh, essa era uma ideia maluca minha.

— Não — disse Victoria pensativamente. — Não acho que era apenas uma ideia maluca. Penso que é verdade.

Edward voltou-se para ela abruptamente:

— O que a faz dizer isso?

— Algo que escutei... de um amigo meu.

— Quem era?

— Apenas um amigo.

— Pequenas como vocês têm amigos demais — resmungou Edward. — Você é uma diaba, Victoria. Eu a amo loucamente, e você não se importa nem um tiquinho.

Em seguida, escondendo sua satisfação deliciada, ela perguntou:

— Edward, há alguém chamado Lefarge em conexão com o Ramo de Oliveira ou qualquer outra coisa?

— Lefarge? — Edward parecia intrigado. — Não creio. Quem é ele?

Victoria continuou seu interrogatório.

— Ou alguém chamado Anna Scheele?

Dessa vez, a reação de Edward foi bem diferente. Voltou-se para ela de repente, agarrou seu braço e perguntou:

— O que você sabe de Anna Scheele?

— Oh, Edward, larga! Não sei nada sobre ela. Somente queria saber se você sabia.

— Onde foi que você ouviu falar dela? A sra. Clipp?

— Não... não a sra. Clipp... pelo menos acho que não, mas, na realidade, ela falava tão depressa e tão interminavelmente sobre o mundo e sobre tudo que provavelmente eu não lembraria se ela a tivesse mencionado.

— Mas o que a fez pensar que essa Anna Scheele teria algo a ver com o Ramo de Oliveira?

— Ela tem?

Edward disse lentamente:

— Não sei... é tudo tão vago.

Estavam em pé do lado de fora da porta do jardim do consulado. Edward olhou o relógio.

— Tenho de ir e fazer minha obrigação — disse. — Gostaria de saber um pouco de árabe. Mas temos de conversar, Victoria. Há uma porção de coisas que quero saber.

— Há uma porção de coisas que quero lhe contar — disse Victoria.

Qualquer terna heroína de uma época mais sentimental poderia ter tentado conservar seu homem fora de perigo. Não Victoria. Homens, na opinião de Victoria, nasceram para o perigo, assim como as faíscas voam para cima. Edward não lhe agradeceria por deixá-lo fora das coisas. E, pensando um pouco, ela estava bem certa de que o sr. Dakin não tencionava que ela o deixasse fora das coisas.

III

Ao pôr do sol naquela tarde, Edward e Victoria estavam passeando no jardim do consulado. Em deferência para com a insistência da sra. Clayton de que o tempo estava hibernal, Victoria usava um casaco de lã sobre seu costume de verão. O pôr do sol estava magnífico, mas nenhum dos jovens o notou. Estavam discutindo coisas importantes.

— Começou bem simplesmente — disse Victoria —, com um homem entrando no meu quarto no hotel Tio e sendo esfaqueado.

Não era, talvez, a ideia da maioria das pessoas de um começo simples. Edward olhou-a e disse:

— Sendo o quê?

— Esfaqueado — disse Victoria. — Pelo menos acho que foi esfaqueado, mas poderia ter sido um tiro, só que não penso assim, porque então eu teria ouvido o barulho do tiro. De qualquer jeito — acrescentou —, ele estava morto.

— Como podia vir ao seu quarto se estava morto?

— Oh, Edward, não seja burro.

Alternadamente, mal e vagamente, Victoria contou a sua história. Por alguma razão misteriosa, Victoria nunca podia contar ocorrências verdadeiras de forma dramática. Sua narrativa era freada e incompleta, e ela a contou com o jeito de alguém que oferece uma falsificação palpável.

Quando chegou ao fim, Edward olhou-a em dúvida e disse:

— Você está se sentindo bem, Victoria, não está? Quero dizer, você não teve um princípio de insolação ou... um sonho... ou qualquer coisa?

— Certamente não.

— Porque, quero dizer, parece uma coisa tão absolutamente impossível de ter acontecido.

— Bem, aconteceu — disse Victoria, melindrada.

— E toda essa história melodramática sobre forças mundiais e instalações misteriosas e secretas no coração do Tibete ou do Baluchistão. Quero dizer, tudo isso simplesmente não pode ser verdade. Coisas assim não acontecem.

— Isso é o que a gente sempre diz antes de acontecerem.

— Sinceramente, Charing Cross... você está inventando tudo isso?

— Não — gritou Victoria, exasperada.

— E você veio até aqui procurando alguém chamado Lefarge e alguém chamada Anna Scheele...

— De quem você mesmo ouviu falar — interpôs Victoria. — Você tinha ouvido falar dela, não é verdade?

— Ouvi o nome, sim.

— Como? Onde? No Ramo de Oliveira?

Edward ficou em silêncio por alguns momentos, em seguida disse:

— Não sei se isso significa alguma coisa. Era apenas... esquisito...

— Vamos. Conte-me.

— Veja, Victoria. Sou tão diferente de você; não sou tão aguçado quanto você. Eu apenas sinto, de uma maneira estranha, que as coisas de algum modo estão erradas... não sei por que penso assim. Você vê as coisas enquanto avança e faz suas próprias deduções. Eu não sou bastante esperto para isso. Eu apenas sinto vagamente que as coisas estão... bem... erradas... mas não sei por quê.

— Sinto assim também, às vezes — disse Victoria. — Como Sir Rupert na varanda do Tio.

— Quem é Sir Rupert?

— Sir Rupert Crofton Lee. Ele estava no avião na viagem para cá. Muito empertigado e exibido. Um VIP, você sabe. E, quando o vi sentado na varanda do Tio ao sol, tive a estranha sensação que você acabou de mencionar, de alguma coisa que estava errada, mas não sabia o que era.

— Rathbone pediu-lhe para fazer uma conferência no Ramo de Oliveira, eu creio, mas ele não pôde. Voou de volta para o Cairo, ou para Damasco, ou algum lugar ontem pela manhã.

— Bem, continue sobre Anna Scheele.

— Oh, Anna Scheele. Não foi nada realmente. Foi apenas uma das pequenas.

— Catarina? — perguntou Victoria instantaneamente.

— Acho que foi Catarina, agora que estou pensando nisso.

— Claro que foi Catarina. É por isso que você não me quer dizer.

— Bobagem, isso é muito absurdo.

— Bem, o que era?

— Catarina disse a uma das outras moças: "Quando Anna Scheele vier, podemos ir adiante. Então receberemos as nossas ordens dela... e dela somente."

— Isso é terrivelmente importante, Edward.

— Lembre-se, nem mesmo tenho certeza de que esse era o nome — preveniu Edward.

— Você não achou estranho na hora?

— Não, não mesmo. Pensei que era apenas alguma mulher que viria para mandar nas coisas. Uma espécie de abelha-mestra. Você não está imaginando tudo isso, Victoria?

Imediatamente ele se encolheu um pouco diante do olhar que sua jovem amiga lhe lançou.

— Muito bem, muito bem — disse apressadamente. — Mas você tem de admitir que toda essa história soa esquisita. Como uma novela: um jovem entrando e proferindo uma palavra que não quer dizer nada... e, em seguida, morrendo; simplesmente não parece real.

— Você não viu o sangue — disse Victoria e tremeu ligeiramente.

— Deve ter sido um choque terrível — disse Edward com simpatia.

— Foi sim — disse Victoria. — E, depois, ainda por cima vem você e pergunta se estou inventando tudo isso.

— Sinto muito. Mas você é bastante boa para inventar coisas. O bispo de Llangow e tudo isso!

— Oh, isso era apenas *joie de vivre* de menina — disse Victoria.

— Isto é sério, Edward, realmente sério.

— Este homem, Dakin... é esse seu nome? Deu-lhe a impressão de que sabia do que estava falando?

— Sim, ele foi muito convincente. Mas olhe aqui, Edward, como é que você sabe...

Um grito da varanda a interrompeu.

— Entrem vocês dois... há bebidas esperando.

— Estamos indo — gritou Victoria.

A sra. Clayton, observando-os chegarem à escada, disse a seu marido:

— Há qualquer coisa no ar aí! Bonito par de crianças... Provavelmente não têm um tostão. Quer que lhe diga o que penso, Gerald?

— Certamente, minha querida, estou sempre interessado em ouvir suas ideias.

— Penso que aquela menina não veio para cá para se juntar ao seu tio na sua escavação, mas unicamente por causa daquele moço.

— Dificilmente penso assim, Rosa. Ficaram bastante surpresos de se verem um ou outro.

— Ora! — fez a sra. Clayton. — Isso não é nada. Ele ficou espantado, eu diria.

Gerald Clayton sacudiu a cabeça para ela e sorriu.

— Ela não faz o tipo arqueológico — disse a sra. Clayton. — São geralmente moças sérias, de óculos... e muito frequentemente de mãos úmidas.

— Minha querida, você não pode generalizar assim.

— E intelectuais e tudo o mais. Essa pequena é uma cabecinha-de-vento adorável, com muito bom senso. É muito diferente. Ele é um bom rapaz. Pena que esteja amarrado com todo esse negócio bobo do Ramo de Oliveira... mas suponho que os empregos estão difíceis. Deviam achar ocupação para esses rapazes.

— Não é tão fácil, minha querida; eles tentam. Mas você não vê, não têm treino, nenhuma experiência e geralmente não cultivam o hábito da concentração.

Nessa noite Victoria foi para a cama num redemoinho de sentimentos misturados.

O objeto de sua busca estava atingido. Edward tinha sido encontrado! Ela sofria da reação inevitável. Fizesse o que quisesse, um sentimento de anticlímax persistia.

Era parcialmente a descrença de Edward que fazia tudo que acontecia parecer teatral e irreal. Ela, Victoria Jones, uma pequena datilógrafa londrina, tinha chegado a Bagdá, tinha visto um homem ser assassinado quase que diante de seus olhos e se tornado uma agente secreta ou qualquer coisa igualmente melodramática; tinha finalmente encontrado o homem que amava num jardim tropical com palmeiras abanando por cima e, muito provavelmente, não distante do lugar em que se julgava situar o Jardim do Éden.

Um fragmento de rima infantil flutuava em seu pensamento:

Quantas milhas até a Babilônia?
Três vintenas mais dez:
Posso chegar lá à luz da vela?
Sim, e voltar também.

Mas ela ainda não estava de volta; continuava na Babilônia. Talvez nunca voltasse: ela e Edward na Babilônia.

Tinha desejado perguntar alguma coisa a Edward, ali no jardim. Jardim do Éden — ela e Edward — perguntar a Edward — mas a sra. Clayton tinha chamado — e tinha esquecido. — Mas tinha de lembrar — porque era importante — não fazia sentido — Palmeiras — jardim — Edward — Virgem sarracena — Anna Scheele — Rupert Crofton Lee — Tudo errado de alguma forma — e se ao menos pudesse lembrar-se.

Uma mulher vindo ao seu encontro num corredor de hotel — uma mulher num costume sob medida — era ela — mas, quando a mulher chegou perto, viu que o rosto era de Catarina. Edward e Catarina — absurdo! — "Venham comigo", dizia ela a Edward, "vamos encontrar M. Lafarge" — e subitamente aí estava ele usando luvas de pelica amarelas e um pequeno cavanhaque pontudo.

Edward tinha ido e, agora, ela estava sozinha. Tinha de voltar da Babilônia antes que as velas se apagassem.

E nós vamos ficar no escuro.

Quem foi que disse isso? Violência, terror, maldade, sangue sobre uma túnica cáqui esfarrapada. Ela estava correndo; correndo por um corredor de hotel. E eles estavam vindo atrás dela.

Victoria acordou com um arquejo.

IV

— Café? — perguntou a sra. Clayton. — Como é que você gosta dos ovos? Mexidos?

— Seria ótimo.

— Você parece bem pálida. Não está se sentindo doente?

— Não. Não dormi bem esta noite. Não sei por quê. É uma cama muito confortável.

— Ligue o rádio, por favor, Gerald. É hora das notícias. Edward entrou no momento em que o prefixo soava.

Na Câmara dos Comuns, a noite passada, o primeiro-ministro deu novos detalhes sobre os cortes nas importações em dólares.
Uma reportagem do Cairo anuncia que o corpo de Sir Rupert Crofton Lee foi pescado no Nilo.

Victoria baixou repentinamente sua xícara de café, e a sra. Clayton proferiu uma exclamação.

Sir Rupert saiu do hotel na tarde de ontem, depois de ter chegado de Bagdá de avião, e não regressou à noite. Estava desaparecido há 24 horas quando seu corpo foi recuperado. A morte se deveu a uma ferida à faca no coração, e não a um afogamento. Sir Rupert era um famoso viajante, conhecido por suas viagens pela China e pelo Baluchistão, e era autor de vários livros.

— Assassinado! — exclamou a sra. Clayton. — Acho que o Cairo é pior que qualquer outro lugar agora. Você sabia alguma coisa sobre isso, Gerry?

— Sabia que ele estava desaparecido — disse o sr. Clayton. — Parece que recebeu um bilhete, trazido pessoalmente, e deixou o hotel com grande pressa, a pé, sem dizer para onde estava indo.

— Você vê — disse Victoria a Edward, depois do café da manhã, quando estavam juntos a sós —, é tudo verdade. Primeiro este homem Carmichael e agora Sir Rupert Crofton Lee. Agora sinto tê-lo chamado de exibido. Parece pouco bondoso. Todas as pessoas que sabem ou adivinham sobre esse negócio estranho estão sendo retiradas do caminho. Edward, você acha que a próxima serei eu?

— Pelo amor de Deus, não fique assim tão animada com a ideia, Victoria! Seu senso dramático é forte demais. Não sei por que alguém eliminaria você, na realidade você não sabe de nada... mas, por favor, tenha muito, muito cuidado.

— Nós dois temos de ter cuidado. Eu o arrastei para isso.

— Ah! Isso está muito bom. Alivia a monotonia.

— Sim, mas se cuide.

Ela sentiu um súbito frêmito.

— É bem horrível. Ele estava tão vivo... Crofton Lee, quero dizer. E agora também está morto. É assustador, realmente assustador.

Capítulo 16

I

— Encontrou o rapaz? — perguntou o sr. Dakin.

Victoria fez que sim com a cabeça.

— Achou mais alguma coisa?

Extremamente pesarosa, Victoria meneou a cabeça.

— Bem, anime-se — disse o sr. Dakin. — Lembre-se de que, nesse jogo, os resultados são poucos e muito espaçados. Você poderia ter apanhado algo ali, nunca se sabe, mas eu de maneira alguma estava contando com isso.

— Posso continuar tentando — perguntou Victoria.

— Você quer?

— Quero. Edward acha que pode me arranjar um emprego no Ramo de Oliveira. Se ficar de olhos e ouvidos abertos, poderei descobrir alguma coisa, não é? Eles sabem alguma coisa sobre Anna Scheele.

— Isso, agora, é muito interessante, Victoria. Como foi que você soube?

Victoria repetiu o que Edward tinha lhe contado sobre o comentário de Catarina. Aquele a respeito de receber ordens de Anna Scheele, quando esta viesse.

— Muito interessante — disse o sr. Dakin.

— Quem é Anna Scheele? — perguntou Victoria. — Quero dizer, tem de saber algo sobre ela. Ou ela é apenas um nome?

— É mais que um nome. É secretária particular de um banqueiro americano, chefe de uma firma de banqueiros internacionais. Saiu de Nova York e foi para Londres há cerca de dez dias. Desde então, desapareceu.

— Desapareceu? Não está morta?

— Se estiver, seu corpo não foi encontrado.

— Mas ela pode estar morta?

— Oh, sim, pode estar morta.

— Ela estava... vindo para Bagdá?

— Não tenho ideia. Pareceria, pelo comentário dessa jovem, Catarina, que estava. Ou devemos dizer... está... desde que, por enquanto, não há razão para acreditar que não esteja mais viva.

— Talvez eu possa descobrir mais no Ramo de Oliveira.

— Talvez possa, mas quero preveni-la, uma vez mais, para ser muito cuidadosa, Victoria. A organização contra a qual você se meteu é bastante impiedosa. Não gostaria de ter seu cadáver encontrado, flutuando Tigre abaixo.

Victoria estremeceu ligeiramente e murmurou:

— Como Sir Rupert Crofton Lee. Sabe, aquela manhã em que esteve no hotel, havia algo estranho a respeito dele... algo que me surpreendeu. Eu gostaria de lembrar o que era...

— Estranho de que maneira...?

— Bem... diferente — Em seguida, em resposta ao olhar inquiridor, ela meneou a cabeça vexada. — Talvez eu lembre. De qualquer forma, não suponho que tenha importância.

— Qualquer coisa pode ser importante.

— Se Edward conseguir um emprego para mim, ele acha que eu deveria alugar um quarto como as outras pequenas, numa espécie de pensão ou num lugar pago para hóspedes, não continuar aqui.

— Criaria menos desconfiança. Os hotéis de Bagdá são muito caros. Seu jovem parece que tem a cabeça no lugar certo.

— Gostaria de vê-lo?

Dakin meneou a cabeça enfaticamente.

— Não, diga a ele para ficar longe de mim. Você, infelizmente, pelas circunstâncias da noite da morte de Carmichael, está apta a ser suspeita. Mas Edward não está ligado àquele acontecimento ou a mim de forma alguma... e isso é valioso.

— Eu estava querendo perguntar-lhe — disse Victoria. — Quem realmente esfaqueou Carmichael? Era alguém que o seguiu até aqui?

— Não — disse Dakin lentamente. — Não pode ter sido assim.

— Não pode?

— Ele veio numa *gufa*... um desses barcos nativos... e não foi seguido. Sabemos disso porque eu tinha alguém vigiando o rio.

— Então era alguém de... dentro do hotel?

— Sim, Victoria. E o que é mais grave, alguém numa determinada ala do hotel, pois eu mesmo estava vigiando as escadas, e ninguém subiu por elas.

Ele observou seu rosto extremamente intrigado e disse calmamente:

— Na realidade, isso não nos dá muitos nomes. Você e eu, a sra. Cardew Trench, e Marcus e suas irmãs. Um casal de empregados idosos que está aqui há anos. Um homem chamado Harrison, de Kirkuk, contra quem não há nada. Uma enfermeira que trabalha no hospital Judeu... pode ser qualquer um deles... mas todos eles são improváveis por uma razão muito boa.

— Qual é?

— Carmichael estava alerta. Ele sabia que o momento culminante de sua missão estava se aproximando. Era um homem com um instinto muito apurado para o perigo. Como foi que esse instinto o abandonou?

— Aqueles policiais que vieram... — começou Victoria.

— Ah, esses vieram depois... subiram da rua. Tiveram um sinal, presumo. Mas eles não o esfaquearam. Isso deve ter sido feito por alguém que Carmichael conhecia bem, em quem ele confiava... ou, de outra forma, a quem considerava desimportante. Se ao menos eu soubesse...

II

A realização traz consigo seu próprio anticlímax. Chegar a Bagdá, encontrar Edward, descobrir os segredos do Ramo de Oliveira: tudo isso tinha parecido um programa extasiante. Agora, alcançado seu objetivo, Victoria, num raro momento de autoindignação, às vezes se perguntava o que estava fazendo! O arroubo do encontro com Edward tinha vindo e desaparecido. Ela amava Edward, Edward a amava. Estavam, na maioria dos dias, trabalhando sob o mesmo teto; mas, pensando sobre isso, desapaixonadamente, o que afinal de contas estavam fazendo?

Por algum ou outro meio, por simples força de determinação ou persuasão engenhosa, Edward tinha sido eficaz no fato de oferecerem a Victoria um emprego magramente pago no Ramo de Oliveira. Ela passava a maior parte do tempo num quartinho escuro, com a luz elétrica acesa, batendo numa máquina escangalhada diversas notícias, cartas e manifestos do programa de leite e água das atividades do Ramo de Oliveira. Edward tinha tido um palpite de que havia algo errado com o Ramo de

Oliveira. O sr. Dakin parecia concordar com esse ponto de vista. Ela, Victoria, estava ali para tentar descobrir o que pudesse, mas até onde podia ver, não havia nada a descobrir! As atividades do Ramo de Oliveira estavam cheias do mel da paz internacional. Diversas reuniões foram organizadas com laranjada para beber e petiscos deprimentes para acompanhá-la e, nelas, Victoria devia agir quase como anfitriã; para misturar-se, apresentar, para promover uma boa vontade geral entre cidadãos de diversos povos estranhos, que estavam inclinados a olhar com animosidade uns para os outros e devorar avidamente os refrescos.

Até onde Victoria era capaz de ver, não havia correntes subterrâneas, conspirações, nem rodas internas. Tudo estava à vista, claro como água e leite, e desesperadamente chato. Vários jovens de pele escura tentaram namorá-la, outros lhe emprestavam livros para ler, que ela folheava e achava enfadonhos. Nessa altura, tinha abandonado o hotel Tio e instalado seu quartel com outras jovens trabalhadoras de várias nacionalidades numa casa da margem ocidental do rio. Entre essas jovens, achava-se Catarina, e parecia à Victoria que Catarina a observava com um olhar suspeito; mas, se isso era porque Catarina a suspeitava de espionagem nas atividades do Ramo de Oliveira, ou se era pelo assunto mais delicado das afeições de Edward, Victoria não era capaz de decidir. Antes, imaginava a última dessas opções. Sabia-se que Edward tinha conseguido o emprego de Victoria, e diversos pares de olhos invejosos olhavam para ela sem a afeição devida.

"O fato era", pensava Victoria soturnamente, "que Edward era atraente demais. Todas essas pequenas tinham caído por ele, e as maneiras amáveis e cativantes para com um e com todos nada faziam para ajudar". Victoria e Edward não deviam mostrar nenhum sinal de intimidade especial. Se quisessem descobrir alguma coisa digna de ser descoberta, não podiam estar sob suspeita de estarem trabalhando juntos. As maneiras de Edward para com ela eram as mesmas que para com qualquer uma das outras jovens, com uma *nuance* adicional de frieza.

Embora o próprio Ramo de Oliveira parecesse tão inócuo, Victoria tinha a nítida sensação de que seu chefe e fundador se encontrava numa categoria diferente. Uma ou duas vezes ela se apercebeu do olhar escuro e pensativo do dr. Rathbone caído sobre ela, e, embora lhe correspondesse com a expressão mais inocente de gatinha, ela sentiu a garra súbita de algo como medo.

Uma vez, quando fora chamada à sua presença (para explicação de um erro de datilografia), o caso foi além de um olhar.

— Você está contente em trabalhar conosco, espero eu? — perguntou ele.

— Oh, sim, senhor, realmente — disse Victoria e acrescentou:

— Sinto cometer tantos erros.

— Não nos importamos com erros. Uma máquina sem alma não seria de uso para nós. Precisamos de juventude, generosidade de espírito, largueza de perspectiva.

Victoria conseguiu parecer ansiosa e generosa.

— Você tem de amar o trabalho... amar o objetivo pelo qual está trabalhando... olhar para a frente, para o futuro glorioso. Está realmente sentindo tudo isso, minha criança?

— É tudo tão novo para mim — disse Victoria. — Na realidade, não penso que já tenha absorvido tudo ainda.

— Juntem-se, juntem-se... Os jovens em todo lugar devem juntar-se. Isso é o principal. Vocês gostam de suas noites de livre discussão e camaradagem?

— Oh, sim — disse Victoria, que as abominava.

— Concordância, não dissensão... irmandade, não ódio. Lentamente e seguramente estão crescendo... Você sente isso?

Victoria pensou nas intermináveis ciumeirazinhas, nas antipatias violentas, nas querelas intermináveis, nos sentimentos feridos, desculpas exigidas; e dificilmente sabia o que se esperava que ela dissesse.

— Algumas vezes — disse ela cautelosamente — as pessoas são difíceis.

— Eu sei... eu sei... — O dr. Rathbone suspirou. Sua testa nobre e abaulada se franziu em perplexidade. — Que é isso que ouvi de Michael Rakounian batendo em Isaac Nahoum e arrebentando o lábio dele?

— Eles estavam apenas tendo uma ligeira discussão — disse Victoria.

O dr. Rathbone meditou soturnamente.

— Paciência e fé — murmurou ele. — Paciência e fé.

Victoria murmurou um assentimento perfunctório e voltou-se para sair. Em seguida, lembrando que tinha deixado seu trabalho na máquina, voltou. A mirada que vislumbrou nos olhos do dr. Rathbone a espantou um pouco. Era um olhar claramente suspeitoso, e ela ficou cismando desassossegada exatamente quão de perto estava sendo observada e o que o dr. Rathbone realmente pensava a seu respeito.

As instruções do sr. Dakin eram muito precisas. Tinha de obedecer a certas regras para se comunicar com ele, se tivesse algo a relatar. Ele tinha lhe dado um velho lenço cor-de-rosa desbotado. Se tivesse algo a relatar, ela devia andar, como frequentemente fazia quando o sol estava se pondo, ao longo da margem do rio, perto de seu hotel. Havia uma vereda estreita à frente das casas ali por cerca de quinhentos metros. Num lugar, um lance de escadas levava à beira d'água e barcos estavam constantemente amarrados ali. Havia um prego enferrujado no alto de um dos postes de madeira, onde ela devia prender um pedacinho do lenço cor-de-rosa se quisesse entrar em contato com Dakin. "Até agora", refletia Victoria amargamente, "não tinha havido necessidade de nada disso". Ela estava simplesmente fazendo um trabalho mal pago de maneira relaxada. Via Edward em raros intervalos, já que ele sempre estava sendo mandado para lugares afastados pelo dr. Rathbone. No momento, tinha acabado de voltar da Pérsia. Durante a sua ausência, tivera uma entrevista curta e um tanto insatisfatória com Dakin. Suas instruções tinham sido ir ao hotel Tio e perguntar se tinha esquecido um suéter. A resposta sendo negativa, Marcus apareceu e imediatamente a arrebatou para a beira do rio para um trago. Nesse momento, Dakin tinha aparecido da rua e sido cumprimentado por Marcus, que o chamara para lhes fazer companhia, e, em pouco tempo, enquanto Dakin servia limonada, Marcus tinha sido chamado, e os dois tinham ficado sentados em lados opostos da pequena mesinha redonda.

Bem apreensivamente, Victoria confessou sua extrema falta de sucesso, mas Dakin foi indulgentemente acalmador.

— Minha querida criança, você nem sabe o que está procurando ou mesmo se existe algo para encontrar. De modo geral, qual é a sua opinião sobre o Ramo de Oliveira?

— É um espetáculo completamente apagado — disse Victoria lentamente.

— Apagado, sim. Mas não fictício?

— Não sei — disse Victoria lentamente. — As pessoas estão muito entregues à ideia de cultura, se você entende o que quero dizer.

— Você quer dizer que, quando há qualquer coisa de cultura envolvida, ninguém examina *bona fides* da maneira como o fariam se fosse uma proposição caritativa ou financeira? Isso é verdade. E você encontrará entusiastas genuínos ali, não tenho dúvida. Mas a organização está sendo usada?

— Acho que há um monte de atividades comunistas se realizando — disse Victoria, duvidosa. — Edward também pensa assim... Ele está me fazendo ler Karl Marx e deixar o livro à vista, apenas para ver quais serão as reações.

Dakin inclinou a cabeça.

— Interessante. Alguma reação por enquanto?

— Não. Ainda não.

— E com respeito a Rathbone? Ele é genuíno?

— Acho realmente que sim... — Victoria parecia em dúvida.

— É ele quem me preocupa, sabe — disse Dakin. — Porque ele é importante. Suponha que maquinações comunistas estejam sendo realizadas... estudantes e jovens revolucionários têm muito pouca chance de entrar em contato com o presidente. A polícia tomará precauções quanto à possibilidade de bombas atiradas da rua. Mas Rathbone é diferente. Ele é um dos lá de cima, um homem ilustre, com uma linda ficha de beneficência pública. Ele poderia entrar em íntimo contato com os visitantes distinguidos. Provavelmente irá. Gostaria de saber a respeito de Rathbone.

"Sim", pensava Victoria consigo mesma, "tudo girava em torno de Rathbone. Naquele primeiro encontro em Londres, semanas atrás, os comentários vagos de Edward sobre a 'esquisitice' do espetáculo tinham tido a sua origem na figura do seu empregador. E deve ter havido", decidiu Victoria subitamente, "algum incidente, alguma palavra, que tenha despertado o desassossego de Edward. Pois era assim", a seu modo de ver, "que as mentes funcionavam. Uma dúvida vaga ou uma desconfiança nunca eram somente palpites — na realidade, tinham sempre uma causa. Se Edward pudesse retroceder no tempo e recordar, juntos poderiam encontrar o fato ou incidente que tinha despertado suas suspeitas. Da mesma forma", pensou Victoria, "ela própria tinha de recuperar o que a surpreendera quando chegou ao terraço do Tio e encontrou Sir Rupert Crofton Lee sentado ao sol. Era verdade que tinha esperado que ele estivesse na embaixada e não no hotel Tio, mas isso não era o suficiente para justificar o sentimento forte que tinha tido ali, como se o fato de ele estar sentado ali fosse completamente impossível!" Ela iria passar e repassar os acontecimentos daquela manhã, e Edward tinha de ser induzido a repassar a sua associação mais antiga com o dr. Rathbone. Ela lhe diria isso quando o encontrasse a sós da próxima vez. Mas encontrar Edward sozinho não era fácil. Para começar, ele tinha estado fora, na Pérsia, e, agora que estava de volta, comunicações particulares do Ramo de Oliveira estavam fora de questão, pois o *slogan* da última guerra (*Les oreilles ennemies vous écoutent*) deveria estar escrito em todas as paredes. Na casa armênia onde estava hospedada, intimidade era igualmente impossível. "Realmente", pensou Victoria com seus botões, "para ver Edward tão pouco assim, eu bem poderia ter ficado na Inglaterra".

Que isso não era bem verdade, ficou provado logo depois.

Edward veio até ela com algumas folhas de manuscrito e disse:

— O dr. Rathbone gostaria que isso fosse datilografado imediatamente, por favor, Victoria. Tome cuidado especial com a segunda página, há alguns nomes árabes intricados nela.

Com um suspiro, Victoria enfiou uma folha de papel em sua máquina e começou em seu apressado estilo costumeiro. A caligrafia do dr. Rathbone não era particularmente difícil de ser lida, e Victoria estava justamente congratulando-se por ter cometido menos erros que de costume. Ela colocou de lado a folha de cima e prosseguiu para a próxima — e imediatamente compreendeu o significado do aviso de Edward de ser cuidadosa com a segunda página. Uma nota diminuta, com a letra de Edward, estava pregada no alto dela.

Vá para um passeio ao longo da margem do Tigre, além do Beit Melek Ali, amanhã de manhã, pelas onze.

O dia seguinte era sexta-feira, o feriado semanal. A disposição de Victoria elevou-se mercurialmente. Ela estaria vestindo seu pulôver verde-jade. Na realidade, poderia ir lavar o cabelo. As comodidades da casa onde vivia tornavam difícil lavá-lo ela mesma.

— E realmente está precisando — murmurou ela em voz alta.

— Que foi que você disse? — Catarina, trabalhando com uma pilha de circulares e envelopes, levantou sua cabeça suspeitosamente da mesa seguinte.

Victoria rapidamente amassou a nota de Edward em sua mão, dizendo em tom ligeiro:

— Meu cabelo está pedindo uma lavagem. A maioria dessas casas de cabeleireiros parecem tão assustadoramente sujas. Não sei aonde ir.

— Sim, são sujas e caras também. Mas conheço uma moça que lava cabelo muito bem, e as toalhas são limpas. Eu a levarei lá.

— É muita gentileza sua, Catarina — disse Victoria.

— Vamos amanhã. É feriado.

— Amanhã não — disse Victoria.

Um olhar suspeitoso foi lançado em sua direção. Victoria sentiu aumentar seu costumeiro desgosto e antipatia por Catarina.

— Prefiro ir dar um passeio... apanhar algum ar. Fica-se tão fechada aqui dentro.

— Onde é que você pode andar? Não há lugar para se andar em Bagdá.

— Eu acharei algum — insistiu Victoria.

— Seria melhor ir ao cinema. Ou então a uma conferência interessante.

— Não, quero sair. Na Inglaterra, gostamos de dar passeios a pé.

— Só porque é inglesa você precisa ser tão orgulhosa e tão empertigada? O que quer dizer ser inglesa? Quase nada. Aqui, cuspimos nos ingleses.

— Se começar a cuspir em mim, poderá ter uma surpresa — disse Victoria, espantando-se, como de costume, com a facilidade com que paixões aborrecidas pareciam surgir no Ramo de Oliveira.

— O que você faria?

— Experimente e veja.

— Por que você lê Karl Marx? Você não pode entendê-lo. É burra demais. Pensa que alguma vez a aceitariam como membro do Partido Comunista? Você não tem educação política o suficiente.

— Por que não deveria lê-lo? Foi feito para gente como eu... trabalhadores.

— Você não é trabalhadora. Você é burguesa. Não sabe nem escrever decentemente à máquina. Olhe os erros que você comete.

— Algumas das pessoas mais inteligentes não sabem soletrar — disse Victoria com dignidade. — E como posso trabalhar se você continua falando comigo?

Matraqueou uma linha em velocidade suicida e, em seguida, ficou um tanto penalizada de constatar que, como resultado de ter premido sem querer a alavanca das maiúsculas, tinha escrito uma linha de pontos de exclamação, números e parênteses. Tirando a folha da máquina, dedicou-se diligentemente até sua tarefa estar terminada e levou o resultado ao dr. Rathbone.

Passando os olhos por sobre a folha, ele murmurou:

— Shirab é no Irã, não no Iraque... e, de qualquer forma, não se escreve Iraque com K... Wasit... não Wuzle... hã... obrigado, Victoria.

Então, quando ela estava deixando a sala, chamou-a de volta.

— Victoria, você é feliz aqui?

— Oh, sim, dr. Rathbone.

Os olhos escuros por sobre as sobrancelhas espessas eram muito perscrutadores. Ela sentiu um desassossego se aproximando.

— Temo que não estejamos pagando-lhe muito.

— Isso não tem importância — disse Victoria. — Gosto do trabalho.

— Realmente?

— Oh, sim — disse Victoria. — Sente-se — acrescentou ela — que este tipo de coisa realmente vale a pena.

Seu olhar límpido encontrou os olhos perscrutadores e não tremeu.

— E você consegue viver?

— Oh, sim... Encontrei um lugar barato, bastante bom... na casa de uns armênios. Estou muito bem.

— Há falta agora de estenodatilógrafas em Bagdá — disse o dr. Rathbone. — Eu penso, sabe, que poderia conseguir-lhe um emprego melhor do que o que tem aqui.

— Mas eu não quero qualquer outro lugar.

— Poderá ser de bom alvitre aceitar um.

— Bom alvitre? — Victoria fraquejou um pouco.

— Foi o que disse. Apenas uma palavra de advertência... um conselho.

Havia algo ligeiramente ameaçador em sua voz.

Victoria arregalou os olhos mais ainda.

— Eu realmente não compreendo, dr. Rathbone.

— Às vezes, é melhor não se meter com coisas que não se compreendem.

Ela se sentiu bem certa da ameaça desta vez, mas conseguiu continuar a olhar com uma inocência de gatinha.

— Por que você veio trabalhar aqui, Victoria? Por causa de Edward?

Victoria corou, aborrecida.

— Naturalmente não — disse ela, indignada. Estava muito aborrecida.

O dr. Rathbone acenou com a cabeça.

— Edward tem sua carreira para seguir. Muitos anos se passarão antes que esteja em posição de ser útil a você. No seu lugar, eu desistiria de pensar em Edward. E, como eu disse, há bons empregos atualmente, com bons salários e perspectivas... e que a levarão para o meio de sua própria gente.

"Ele continuava a observá-la", pensou Victoria, "bem de perto. Isso seria um teste?". Ela disse com uma afetação de ansiedade:

— Mas eu realmente gosto muito do Ramo de Oliveira, dr. Rathbone.

Ele então encolheu os ombros, e ela o deixou, mas pôde sentir os olhos dele no centro da sua espinha quando saiu da sala.

Ficou um tanto perturbada pela entrevista. Acontecera algo para levantar suspeitas nele? Teria adivinhado que ela era uma espiã colocada no Ramo de Oliveira para descobrir os seus segredos? Sua voz e suas maneiras a tinham feito se sentir desagradavelmente temerosa. Sua sugestão de que tinha ido lá para ficar perto de Edward a tinha feito ficar zangada na hora e ela vigorosamente a tinha negado, mas agora percebeu que era infinitamente mais seguro que o dr. Rathbone supusesse que ela tinha ido para o Ramo de Oliveira por causa de Edward do que ter mesmo qualquer palpite de que o sr. Dakin tinha algo a ver com a história. De qualquer forma, devido ao seu corar idiota, Rathbone provavelmente estava pensando que tinha sido por Edward, de modo que tudo, na realidade, tinha saído da melhor forma.

Não obstante, foi dormir naquela noite com um aperto de medo desagradável no coração.

Capítulo 17

I

Na manhã seguinte, Victoria não teve dificuldades em sair sozinha com poucas explicações. Havia perguntado sobre o Beit Melek Ali e tinha aprendido que era uma grande casa construída bem sobre o rio, um pouco para baixo, na margem oeste.

Até então, Victoria tinha tido muito pouco tempo para explorar os arredores e ficou agradavelmente surpresa quando chegou ao fim da rua estreita e percebeu que já estava na margem do rio. Dobrou à direita e caminhou lentamente ao longo da encosta alta. Em alguns pontos, andava com dificuldade: a encosta estava desgastada e nem todas as partes tinham sido consertadas ou reconstruídas. Uma casa tinha degraus à sua frente, os quais — se descesse um a mais numa noite escura — a fariam parar dentro do rio. Victoria olhava para a água embaixo e tateou seu caminho em volta. Então, por um trecho, o caminho era largo e pavimentado. As casas do seu lado direito tinham um ar misterioso. Não ofereciam nenhuma pista quanto aos seus ocupantes. Ocasionalmente, a porta central estava aberta e, olhando para dentro, Victoria ficava fascinada pelos contrastes. Numa dessas ocasiões, olhou para um pátio com uma fonte esguichando e assentos almofadados e cadeiras de convés em sua volta, com palmeiras altas crescendo, e um jardim por trás que parecia o pano de fundo de um palco. A casa seguinte, com a mesma aparência externa, abriu-se sobre uma mixórdia de confusão e passagens escuras, com cinco ou seis crianças sujas brincando em trapos. Em seguida, chegou a jardins de palmeiras e arvoredos espessos. À sua esquerda, tinha passado por degraus desiguais que levavam ao rio, e um barqueiro árabe, sentado num barco a remo primitivo, gesticulava e chamava, perguntando evidentemente se queria ser levada para o outro lado. "Agora", julgava Victoria, "deveria estar exatamente em frente ao hotel Tio", embora fosse difícil distinguir diferenças na arquitetura vista deste lado, uma vez que os edifícios de hotel eram semelhantes. Agora chegava a uma estrada que descia por entre as palmeiras e levava a duas casas altas com varanda. Atrás, havia uma casa grande, construída diretamente para fora, sobre o rio, com jardim e balaustrada. O passeio na margem atravessava o que deveria ser o Beit Melek Ali, ou a Casa do Rei Ali.

Alguns minutos depois, Victoria tinha passado pela sua entrada e chegado a uma parte mais pobre; o rio estava escondido por plantações de palmeiras cercadas com arame farpado enferrujado. Do lado direito, estavam casas em ruínas dentro de muros toscos de adobe e pequenas cabanas com crianças brincando na sujeira e nuvens de moscas pairando sobre montes de lixo. Uma estrada levava para longe do rio, e um carro estava estacionado ali, um carro um tanto gasto e arcaico. Ao lado do carro, Edward estava em pé.

— Ótimo — disse Edward. — Você chegou. Entre.

— Aonde vamos? — perguntou Victoria, entrando no automóvel castigado, com prazer. O motorista, que parecia ser uma trouxa de trapos animada, voltou-se e sorriu alegremente para ela.

— Vamos para a Babilônia — disse Edward. — Já era tempo de termos um dia de excursão.

O carro partiu com um arranco terrível e saiu pulando loucamente por cima das rudes pedras de pavimentação.

— À Babilônia? — perguntou Victoria. — Como isso soa adorável! Para a Babilônia de verdade.

O carro virou para a esquerda, e eles estavam rodando sobre uma estrada bem pavimentada de largura impressionante.

— Sim, mas não espere demais. A Babilônia... se você sabe o que quero dizer... não é mais o que era.

Victoria zumbia:

Quantas milhas até a Babilônia?
Três vintenas mais dez:
Posso chegar lá à luz da vela?
Sim, e voltar também.

—Eu costumava cantar isso quando era pequena. Sempre me fascinou. E agora estamos realmente indo para lá!

— E vamos voltar à luz das velas. Ou devíamos. Na realidade, nunca se sabe nesta terra.

— O carro parece que vai quebrar.

— Provavelmente irá. É certo que está tudo errado com ele. Mas esses iraquianos são terrivelmente bons em amarrarem tudo, dizendo *Inshallah* e o fazendo andar novamente.

— É sempre *Inshallah*, não é?

— Sim. Nada como empurrar a responsabilidade para cima do Todo-Poderoso.

— A estrada não é muito boa, é? — arquejou Victoria, pulando em seu assento. A estrada aparentemente bem pavimentada e larga não tinha correspondido à sua promessa. Ainda era larga, mas agora estava cheia de buracos.

— Fica pior mais à frente — gritou Edward.

Eles pulavam e chacoalhavam alegremente. A poeira erguia-se em nuvens ao redor deles. Grandes caminhões cheios de árabes rompiam pelo meio da pista e estavam surdos a todas as intimações da buzina.

Passavam por jardins murados e grupos de mulheres e crianças e burricos, e, para Victoria, era tudo novo e parte do encantamento de estar indo para a Babilônia com Edward a seu lado.

Chegaram à Babilônia, machucados e sacudidos, num par de horas. A pilha insignificante de lama arruinada e tijolo queimado era um tanto de desapontamento para Victoria, que estava esperando por algo no gênero de colunas e arcos, parecendo com os retratos que tinha visto de Baalbek.

Mas, aos poucos, seu desapontamento cedeu, quando estavam engatinhando por sobre montes e montinhos e tijolo queimado, levados pelo guia. Ela escutava apenas com meio ouvido as suas explicações profusas, mas, quando seguiam pelo Caminho das Procissões com o Portal de Ishtar, com os fracos relevos de animais inacreditáveis no alto das paredes, uma súbita sensação da grandiosidade do passado apossou-se dela e também um desejo de saber alguma coisa sobre essa cidade vasta e orgulhosa que agora ali estava morta e abandonada. Logo em seguida, cumprindo seu dever para com a antiguidade, eles se sentaram perto do Leão da Babilônia para comer o lanche de piquenique que Edward tinha trazido. O guia afastou-se sorrindo indulgentemente, insistindo que, mais tarde, tinham de ver o museu.

— Temos? — perguntou Victoria, sonhadora. — Coisas rotuladas e metidas em caixas de alguma forma não parecem nem um pouco reais. Fui uma vez ao Museu Britânico. Foi horrível e terrivelmente cansativo para os pés.

— O passado é sempre tedioso — disse Edward. — O futuro é muito mais importante.

— Isso não é tedioso — disse Victoria, agitando um sanduíche para o panorama de tijolos caídos. — Há uma sensação de grandeza aí. Como o poema:

Quando você era um rei na Babilônia
E eu uma escrava cristã?

— Talvez tenhamos sido. Você e eu, quero dizer.

— Acho que não havia reis na Babilônia quando havia cristãos — disse Edward. — Creio que a Babilônia parou de funcionar algum tempo entre quinhentos ou seiscentos anos a.C. Um ou outro arqueólogo sempre aparece para fazer conferência sobre essas coisas; mas eu nunca chego a lembrar das datas... quero dizer, nem mesmo as gregas e romanas.

— Você gostaria de ter sido um rei na Babilônia, Edward?

Edward respirou fundamente.

— Gostaria.

— Então digamos que você foi. Agora está numa nova encarnação.

— Naqueles tempos eles sabiam ser reis! — disse Edward. — É por isso que podiam dominar o mundo e dar-lhe forma.

— Não sei se teria gostado muito de ser escrava — disse Victoria, meditando. — Cristã ou de outro tipo.

— Milton estava certo — disse Edward. — Melhor reinar no Inferno do que servir no Céu. Sempre admirei o Satã de Milton.

— Eu nunca cheguei até Milton — disse Victoria como que pedindo desculpas. — Mas fui assistir a *Comus* nas Fontes de Sadler e foi adorável quando Margot Fonteyn dançou como uma espécie de anjo de açúcar.

— Se você fosse uma escrava, Victoria — disse Edward —, eu a libertaria e a levaria para o meu harém... ali — acrescentou ele, gesticulando vagamente para o monte de entulho.

Um brilho veio ao olhar de Victoria.

— Falando de haréns... — começou ela.

— Como é que você está se dando com Catarina? — perguntou Edward rapidamente.

— Como é que você sabia que eu estava pensando em Catarina?

— Bem, você estava, não é? Honestamente, Vicky, quero que você fique amiga de Catarina.

— Não me chame de Vicky.

— Muito bem, Charing Cross. Quero que você fique amiga de Catarina.

— Ah, os homens! Sempre querendo que suas amigas gostem umas das outras.

Edward sentou-se energicamente. Ele tinha estado reclinado com as mãos atrás da cabeça.

— Você entendeu tudo errado, Charing Cross. De qualquer forma, as suas referências a haréns são simplesmente bobas.

— Não, não são. A maneira como todas essas pequenas olham intensamente, desejando você, me deixa louca.

— Esplêndido — disse Edward. — Gosto de você louca. Mas voltando a Catarina... A razão pela qual eu quero que você seja amiga dela é que estou bastante seguro de que ela é a melhor maneira de abordar para todas as coisas que queremos descobrir. Ela sabe alguma coisa.

— Você realmente pensa assim?

— Lembra do que você a ouviu dizer sobre Anna Scheele?

— Eu tinha esquecido.

— Como é que você está indo com Karl Marx? Algum resultado?

— Ninguém avançou para mim para me convidar a aderir. Na realidade, Catarina me disse ontem que o partido não me aceitaria porque não sou politicamente instruída o bastante. E ter de ler todo aquele negócio chato... honestamente, Edward, não tenho cabeça para isso.

— Você não é politicamente consciente, é? — Edward riu. — Pobre Charing Cross. Bem, bem, Catarina pode ter muita intensidade e consciência política, mas minha fantasia ainda é uma pequena datilógrafa *cockney* que não sabe soletrar qualquer palavra de três sílabas.

Victoria franziu a testa subitamente. As palavras de Edward tinham trazido à sua mente a curiosa entrevista que tivera com o dr. Rathbone. Contou a Edward sobre ela. Ele pareceu muito mais perturbado do que ela teria esperado que ficasse.

— Isso é sério, Victoria, realmente sério. Tente me contar exatamente o que ele disse.

Victoria fez o melhor que pôde para lembrar as palavras que Rathbone tinha empregado.

— Mas não vejo — disse ela — por que isso o perturba assim.

— Hã? — Edward parecia distraído. — Você não vê... mas, minha querida menina, você não vê que isso mostra que sabem tudo sobre você? Estão a prevenindo. Não gosto disso, Victoria... não gosto disso nem um pouco.

Ele fez uma pausa e, em seguida, disse gravemente:

— Comunistas, você sabe, são muito impiedosos. É parte do credo deles não recuar diante de nada. Não quero você golpeada na cabeça e jogada no Tigre, querida.

"Que estranho", pensou Victoria, "estar sentada entre as ruínas da Babilônia, debatendo as chances de, num futuro próximo, levar uma pancada na cabeça e ser jogada no Tigre". Semicerrando os olhos, pensou, sonolenta: "Vou acordar brevemente e achar que estou em Londres, sonhando um sonho maravilhoso e melodramático sobre a perigosa Babilônia. Talvez eu esteja em Londres... o despertador vai tocar logo, logo, e eu terei de levantar e ir para o escritório do sr. Greenholtz e não haverá nenhum Edward."

E, com este último pensamento, ela abriu os olhos de novo apressadamente para assegurar-se de que Edward estava ali de verdade (e eu esqueci o que eu queria lhe perguntar em Basrah quando nos interromperam) e de que não era um sonho. O sol estava queimando e ofuscando de uma maneira completamente não londrina, e as ruínas da Babilônia eram pálidas e brilhantes contra um fundo de palmeiras escuras, e, sentado com suas costas um pouco em sua direção, estava Edward. Seu cabelo crescia extraordinariamente bem, com um ligeiro redemoinho na altura do pescoço. E que pescoço bonito: bronzeado, vermelho-amarronzado do sol, sem máculas sobre ele; tantos homens tinham pescoços com quistos ou perebas onde o colarinho tinha esfregado... um pescoço como o de Sir Rupert, por exemplo, com um furúnculo apenas começando...

Subitamente, Victoria sentou-se como uma estaca e seus devaneios viraram coisa do passado. Estava selvagemente excitada.

Edward voltou-se para ela de modo indagador.

— O que há, Charing Cross?

— Acabei de me lembrar — disse Victoria — de Sir Rupert Crofton Lee...

Como Edward ainda a favorecia com um olhar vazio, inquiridor, Victoria começou a elucidar seu significado, o que, para dizer a verdade, não fez muito claramente.

— Foi um furúnculo — disse ela — no pescoço dele.

— Um furúnculo no pescoço? — Edward estava intrigado.

— Sim, no avião. Ele estava sentado na minha frente, o capuz que estava usando caiu e eu o vi... o furúnculo.

— Por que não deveria ele ter furúnculos? São doloridos, mas muitas pessoas os têm.

— Sim, naturalmente. Mas o caso é que, naquela manhã, na varanda, ele não tinha.

— Não tinha o quê?

— Não tinha um furúnculo. Oh, Edward, trate de compreender isso. No avião, ele tinha um furúnculo e, no terraço do hotel Tio, ele não tinha. Seu pescoço estava bem liso e sem sinal... como o seu agora.

— Bem, suponho que tivesse sarado.

— Oh, não, Edward, não podia. Foi apenas um dia depois, e ele estava apenas começando a aparecer. Não poderia ter sarado... não completamente, sem deixar sinal. Assim, veja bem, isso significa... sim, tem de significar... que o homem no Tio não era Sir Rupert.

Ela balançou a cabeça com veemência. Edward olhou-a.

— Você está maluca, Victoria. Só podia ser Sir Rupert. Você não viu qualquer outra diferença nele.

— Mas você não vê, Edward, na realidade eu nunca tinha olhado direito para ele... somente o seu... bem, você poderá chamá-lo de "efeito geral". O chapéu... e a capa... e a atitude de fanfarrão. Ele seria um homem fácil de personificar.

— Mas eles teriam sabido, na embaixada...

— Ele não se hospedou na embaixada, não foi? Ele veio para o Tio. Foi um dos secretários ou auxiliares menores que o encontrou. O embaixador está na Inglaterra. Além disso, ele viajou e tem estado longe da Inglaterra por muito tempo.

— Mas por que...

— Por causa de Carmichael, naturalmente. Carmichael estava vindo para Bagdá para encontrá-lo... para contar-lhe o que tinha descoberto. Apenas nunca tinham se encontrado antes. Desse modo, Carmichael não saberia que ele não era o homem certo... e não estaria alerta. Naturalmente, foi Rupert Crofton Lee (o falso, é claro) que esfaqueou Carmichael! Oh, Edward, tudo se encaixa.

— Não acredito numa palavra disso. É maluco. Não esqueça que Sir Rupert foi morto depois, no Cairo.

— Foi onde tudo aconteceu. Eu sei agora. Oh, Edward, que horrível. Eu vi acontecer.

— Você viu acontecer... Victoria, você está completamente maluca?

— Não estou nem um pouco maluca. Apenas ouça, Edward. Bateram à minha porta, no hotel em Heliópolis, pelo menos eu pensei que fosse na minha porta e olhei, mas não era... era uma porta mais adiante, na de Sir Rupert Crofton Lee. Era uma das comissárias ou aeromoças, ou como quer que as chamem. Ela perguntou se ele se importaria de ir ao escritório da BOAC... logo abaixo, no corredor. Saí do meu quarto pouco depois. Passei por uma porta que tinha uma placa da BOAC, a porta se abriu e ele saiu. Pensei então que ele tinha tido alguma notícia que o fazia andar de modo diferente. Você não vê, Edward? Era uma armadilha, o substituto estava esperando, completamente pronto e, logo que ele entrou, eles apenas lhe deram uma pancada na cabeça e o outro saiu e desempenhou o papel. Acho que o conservaram em algum lugar no Cairo, talvez no hotel como um inválido, conservaram-no dopado e, em seguida, mataram-no no momento certo, quando o falso tinha voltado para o Cairo.

— É uma história magnífica — admitiu Edward. — Mas, muito francamente, Victoria, você está inventando a coisa toda. Não há provas disso.

— Há o furúnculo...

— Oh, ao diabo com o furúnculo!

— E há também uma ou duas coisas mais.

— O quê?

— Aquele aviso da BOAC na porta. Mais tarde, não estava lá. Eu me lembro de ter ficado intrigada quando descobri que o escritório da BOAC ficava do outro lado do *hall* de entrada. Essa é uma coisa. Há ainda uma outra: a comissária de bordo, a que bateu na porta dele. Eu a vi depois... aqui em Bagdá... e o que é mais estranho, no Ramo de Oliveira. No primeiro dia em que fui lá. Ela entrou e falou com Catarina. Pensei então que a tinha visto antes.

Depois de um momento de silêncio, Victoria disse:

— Então, você tem de admitir, Edward, que não é tudo imaginação minha.

Edward disse lentamente:

— Tudo volta ao Ramo de Oliveira... e a Catarina. Victoria, todas as picuinhas de lado, você tem de chegar mais perto de Catarina. Adule-a, engraxe-a, converse com ela sobre comunismo. De uma forma ou de outra, fique bastante íntima dela para saber quem são os amigos dela e aonde ela vai e com quem ela está em contato fora do Ramo de Oliveira.

— Não será fácil — disse Victoria —, mas vou tentar. E a respeito do sr. Dakin? Devo lhe contar sobre isso?

— Sim, é claro. Mas espere um ou dois dias. Poderemos ter mais em que nos basearmos. — Edward suspirou. — Vou levar Catarina ao Select para ver o show uma noite dessas.

E, dessa vez, Victoria não sentiu a pontada do ciúme. Edward tinha falado com a ferrenha determinação que eliminava qualquer antecipação de prazer na tarefa que estaria empreendendo.

II

Animada com suas descobertas, Victoria não achou difícil cumprimentar Catarina no dia seguinte com uma efusão de gentileza. Era tão gentil da parte de Catarina, disse, ter-lhe falado de um lugar para mandar lavar o cabelo. Precisava ser lavado com terrível urgência. (Isso era inegável: Victoria tinha voltado da Babilônia com seus cabelos escuros da cor ferrugem-vermelha da areia.)

— Está com aspecto terrível, sim — disse Catarina, olhando-o com satisfação maliciosa. — Você então saiu naquela tempestade de poeira ontem à tarde?

— Aluguei um carro e fui ver a Babilônia — disse Victoria. — Foi muito interessante, mas, no caminho de volta, a tempestade de poeira começou, e eu quase sufoquei e fiquei cega.

— É interessante, a Babilônia — disse Catarina —, mas você devia ir com alguém que entenda dela e lhe possa contar adequadamente a respeito. Quanto ao seu cabelo, vou levá-la para essa moça armênia hoje à noite. Ela vai aplicar-lhe um *shampoo* de creme. É melhor.

— Não sei como você consegue conservar seu cabelo com aspecto tão maravilhoso — disse Victoria, olhando com o que pareciam olhos de admiração as pesadas montagens de Catarina, que pareciam cachos de linguiça engordurados.

Um sorriso apareceu no rosto geralmente azedo de Catarina, e Victoria pensou como Edward estava certo acerca de adulação.

Quando saíram do Ramo de Oliveira naquela noite, as duas moças estavam nas melhores relações. Catarina entrava e saía de passagens estreitas e aleias e finalmente bateu numa porta que não dava sinal de quaisquer atividades de cabeleireiro sendo realizadas do outro lado. Foram, porém, recebidas por uma moça simples, de aspecto competente, que falava um inglês lento e cuidadoso e que levou Victoria para uma bacia imaculadamente limpa, com torneiras brilhantes e diversas garrafas e loções arrumadas à sua volta. Catarina partiu, e Victoria entregou seus cabelos às mãos peritas da srta. Ankoumian. Dentro de pouco tempo, seu cabelo era uma pasta de espuma cremosa.

— E agora, por favor...

Victoria inclinou-se para a frente, para a bacia. Água escorreu sobre seus cabelos e desceu pelo ralo.

Subitamente seu nariz foi assaltado por um cheiro doce, bastante enjoativo, que ela associava vagamente a hospitais. Um chumaço molhado, saturado, foi aplicado firmemente sobre seu nariz e sua boca. Ela lutou selvagemente, estrebuchando e retorcendo-se, mas uma garra de ferro conservou o chumaço no lugar. Ela começou a sufocar, sua cabeça rodava zonzamente, um ruído trovejante veio-lhe aos ouvidos...

E, depois disso, escuridão funda e profunda.

Capítulo 18

Quando Victoria recobrou os sentidos, foi com uma sensação de que muito tempo tinha se passado. Memórias confusas se agitavam nela. Socos num carro, tagarelar alto e briga em árabe, luzes que relampejavam em seus olhos, um horrível ataque de náusea. Então vagamente se lembrou de estar deitada numa cama e de alguém levantar seu braço, a fisgada aguda e agonizante de uma agulha, depois mais sonhos confusos e escuridão e, por trás disso, um senso crescente de urgência...

Agora, pelo menos, vagamente, era ela mesma... Victoria Jones... E algo tinha acontecido a Victoria Jones... há muito tempo... meses... talvez anos... no final das contas, talvez apenas dias.

Babilônia, sol brilhante, poeira, cabelo, Catarina. Catarina, naturalmente, sorrindo, seus olhos ardilosos sob os cachos de linguiça... Catarina a tinha levado para um *shampoo* de cabelo e depois... o que tinha acontecido? O cheiro horrível, ela ainda podia senti-lo, nauseante... clorofórmio, naturalmente. Eles a tinham cloroformizado e levado para onde?

Cautelosamente Victoria tentou se sentar. Parecia estar deitada numa cama... uma cama muito dura... sua cabeça doía e sentia-se zonza... ainda estava sonolenta, horrivelmente sonolenta... aquela fisgada, a fisgada de uma agulha hipodérmica, eles a estiveram dopando... ainda estava meio dopada.

Bem, de qualquer forma não a tinham matado (por que não?). De modo que isso estava bem. "A melhor coisa", pensou Victoria ainda meio dopada, "é dormir". E assim o fez, prontamente.

Quando acordou novamente, sentiu a cabeça muito mais clara. Era luz do dia agora, e ela podia ver mais nitidamente onde estava.

Estava num quarto pequeno, mas muito alto, pintado num cinza azulado pálido. O chão era de terra batida. As únicas mobílias no quarto pareciam ser a cama na qual estava deitada, coberta por um tapete sujo, e uma mesa mambembe com uma bacia esmaltada rachada sobre ela e uma jarra de zinco por baixo. Havia uma janela com uma espécie de gradeado de madeira à sua frente. Victoria saltou lépida da cama, sentindo-se nitidamente com dor de cabeça e esquisita, e aproximou-se da janela. Podia ver bem claramente por entre o gradeado e o que via era um jardim com palmeiras. O jardim era bastante agradável pelos padrões orientais, embora pudesse ser esnobado por algum proprietário inglês suburbano. Tinha uma porção de cravos-de-defunto amarelos assim como alguns eucaliptos empoeirados, assim como alguns tamarindos extremamente delgados.

Uma criança pequena, com um rosto tatuado em azul e uma porção de cachinhos, estava pisoteando em volta com uma bola e cantando num lamento nasal agudo bastante parecido com gaitas de foles distantes.

Victoria, em seguida, voltou sua atenção para a porta, que era grande e maciça. Sem muita esperança, foi até ela e experimentou-a. Estava fechada. Victoria voltou e sentou-se na beira da cama.

Onde estava? Não em Bagdá, isso era certo. E que iria fazer em seguida?

Depois de um ou dois minutos, ocorreu-lhe que a última pergunta, na realidade, não se aplicava. O mais exato era: o que alguém iria fazer a ela? Com uma sensação desagradável no estômago, lembrou-se da recomendação do sr. Dakin de contar tudo que sabia. Mas talvez já tivessem arrancado tudo isso dela enquanto estava sob o efeito das drogas.

No entanto — Victoria voltou a este ponto com alegria determinada —, ainda estava viva. Se conseguisse ficar viva até que Edward a encontrasse... Que faria Edward quando descobrisse que ela tinha desaparecido? Será que procuraria o sr. Dakin? Agiria por conta própria? Apelaria para o temor de Deus em Catarina e forçá-la-ia a contar? Será que suspeitaria de Catarina? Quanto mais Victoria procurava conjurar um retrato tranquilizador de Edward em ação, mais a imagem dele esmaecia e tornava-se uma espécie de abstração sem rosto. Quão inteligente era Edward? Isso era realmente do que se tratava. Edward era adorável. Edward tinha encanto. Mas será que Edward tinha miolos? Porque, claramente, em sua presente embrulhada, miolos seriam necessários.

O sr. Dakin, esse sim, teria os miolos necessários. Mas teria ele o ímpeto? Ou será que apenas riscaria o nome dela de um caderno de notas, escrevendo depois dele um "R.I.P."[7] caprichado? Afinal de contas, para o sr. Dakin, ela era apenas uma na multidão. Assumira o risco e, se a sorte falhasse, azar. Não, não via o sr. Dakin encenando uma salvação. Afinal de contas, ele a tinha prevenido.

E o dr. Rathbone a tinha prevenido. (Prevenido ou ameaçado?) E, diante de sua recusa de sentir-se ameaçada, não tardara muito em concretizar a ameaça...

---

7 Abreviação da expressão inglesa "*rest in peace*", em português, "descanse em paz". (N.T.)

"Mas eu ainda estou viva", repetiu Victoria, determinada a olhar para o lado bom das coisas.

Passos aproximaram-se do lado de fora, e uma chave rangeu numa fechadura enferrujada. A porta estremeceu em suas dobradiças e se escancarou. Em sua abertura, apareceu um árabe. Carregava uma velha travessa de estanho sobre a qual havia louça.

Parecia bem-humorado, sorria largamente, proferiu alguns comentários incompreensíveis em árabe, finalmente depositou a travessa, abriu a boca, apontando goela abaixo, e partiu, novamente fechando a porta atrás de si.

Victoria aproximou-se da travessa com interesse. Havia uma grande terrina com arroz, algo que pareciam folhas de repolho enroladas e um grande pedaço de pão árabe. Também uma jarra de água e um copo.

Victoria começou por beber um grande copo d'água e, em seguida, atacou o arroz, o pão e o repolho, cujas folhas estavam cheias de carne picadinha de gosto bastante peculiar. Quando terminou de comer, sentiu-se um bocado melhor.

Tentou o melhor que pôde pensar claramente nas coisas. Tinha sido cloroformizada e raptada. Há quanto tempo? Quanto a isso não tinha a mais vaga ideia. Pelas lembranças sonolentas de dormir e acordar, ela julgava que tinha sido há uns dias atrás. Tinha sido retirada de Bagdá... para onde? Aí, novamente, não tinha meios de saber. Devido à sua ignorância do árabe, nem mesmo era possível fazer perguntas. Não podia descobrir um lugar, ou um nome, ou uma data.

Seguiram-se diversas horas de tédio.

Aquela noite, seu carcereiro reapareceu com outra travessa de comida. Com ele, desta vez, veio um par de mulheres. Estavam de preto enferrujado com suas faces escondidas. Não entraram no quarto, mas ficaram na entrada da porta. Uma tinha um bebê nos braços. Pela tenuidade dos véus, sentia que os olhos delas a estavam avaliando. Para elas era excitante e altamente humorístico ter uma mulher europeia presa ali.

Victoria falou a elas em inglês e em francês, mas conseguiu apenas risadinhas como resposta. "Era estranho", pensava ela, "ser incapaz de se comunicar com pessoas de seu próprio sexo". Ela disse lentamente e com dificuldade uma das poucas frases que tinha aprendido.

— *El hamdu lillah.*

Seu enunciado foi recompensado por um jorro deliciado de árabe. Elas consentiam vigorosamente com as cabeças. Victoria moveu-se na direção delas, mas rapidamente o empregado árabe, ou o que quer que fosse ele, deu um passo para trás e barrou seu caminho. Fez sinal para as duas mulheres recuarem e ele mesmo saiu, fechando a porta de novo. Antes de fazer isso, pronunciou uma palavra, repetindo-a diversas vezes.

— *Bukra, Bukra...*

Era uma palavra que Victoria tinha ouvido antes. Queria dizer "amanhã".

Victoria sentou-se na cama para pensar. Amanhã? Amanhã viria alguém ou amanhã algo estava para acontecer. Amanhã a sua prisão iria terminar (ou não?); ou, se terminasse, ela também poderia terminar! Juntando todas as coisas, Victoria não se importava muito com o amanhã. Sentia, instintivamente, que seria melhor que, quando a manhã chegasse, ela estivesse em outro lugar.

Mas isso seria possível? Pela primeira vez deu toda a atenção a este problema. Primeiramente foi para a porta e examinou-a. Certamente não havia nada a fazer ali. Aquela não era o tipo de fechadura que se abria com um grampo de cabelo — se, na realidade, ela fosse capaz de abrir qualquer cadeado com um grampo de cabelo, o que ela duvidava bastante.

Restava, então, a janela. A janela, ela descobriu logo, era uma proposição muito mais esperançosa. O trabalho de gradeado de madeira que a guarnecia estava nos estágios finais de decrepitude. Tomando como certo que seria capaz de quebrar o suficiente do madeiramento podre para forçar a sua passagem por ele, dificilmente poderia fazê-lo sem uma porção de barulho que chamasse a atenção. Ainda mais que o quarto no qual ela estava confinada ficava num andar superior, e isso significava ou fabricar uma corda de algum tipo ou saltar, com toda a probabilidade de ter um tornozelo torcido ou outro ferimento. "Nos livros", pensou Victoria, "faz-se uma corda de tiras de roupas de cama". Duvidosa, ela olhou para o espesso edredom de algodão e a colcha esfarrapada. Nenhum dos dois parecia de todo adequado para seu propósito. Não tinha nada com que cortar o edredom em tiras e, embora provavelmente fosse capaz de rasgar a colcha, a sua condição de podridão eliminaria qualquer possibilidade de suportar o seu peso.

— Maldição — disse Victoria em voz alta.

Estava mais e mais enamorada da ideia de fuga. Até onde podia julgar, seus carcereiros eram gente de mentalidade muito simples, para os quais o simples fato de ela estar fechada num quarto significava finalidade. Não esperariam que ela escapasse pelo simples fato de que era uma prisioneira e não podia. Quem quer que tivesse usado a agulha hipodérmica nela e a levado até ali, agora não se encontrava em cena, disso ela estava segura. Ele, ou ela, ou eles, eram esperados "*bukra*". Eles a tinham deixado em algum lugar remoto sob a guarda de gente simples que obedeceria a instruções, mas que não apreciaria sutilezas e que não estava, presumivelmente, alertada quanto às faculdades inventivas de uma jovem europeia com temor de morte iminente.

"Vou sair daqui de alguma forma", disse Victoria para si mesma. Aproximou-se da mesa e serviu-se do novo suprimento de comida. Podia muito bem conservar a sua força. Havia novamente arroz, algumas laranjas e alguns pedaços de carne num molho claro de laranja.

Victoria comeu tudo e, em seguida, tomou um gole d'água. Quando colocou a jarra de novo na mesa, esta inclinou-se levemente e um pouco d'água foi para o chão. O chão naquele lugar imediatamente tornou-se um pequeno lago de lama líquida. Olhando para ele, uma ideia mexeu-se no cérebro sempre fértil da srta. Victoria Jones.

A questão era: a chave teria sido deixada na fechadura do lado de fora da porta?

O sol agora estava-se pondo. Logo estaria escuro. Victoria foi para a porta, ajoelhou-se e olhou para dentro do imenso buraco da fechadura. Não podia ver luz. Agora, o que precisava era de alguma coisa com que empurrar, um lápis ou uma caneta. Que aborrecido que sua bolsinha tivesse sido levada. Olhou em volta do quarto, franzindo a testa. O único artigo de cutelaria na mesa era uma colher grande. Isso não servia para suas necessidades imediatas, embora pudesse vir a calhar mais tarde. Victoria sentou-se para maquinar e planejar. Logo proferiu uma exclamação, tirou o sapato e conseguiu remover a sola interna de couro. Enrolou-a firmemente. Era razoavelmente rígida. Voltou para a porta, agachou-se e cutucou vigorosamente pelo buraco da fechadura. Felizmente a imensa chave adaptava-se frouxamente à fechadura. Depois de três ou quatro minutos, reagiu aos esforços e caiu da porta pelo lado de fora. Fez pouco barulho ao cair sobre o chão de terra.

"Agora", pensou Victoria, "tenho que me apressar antes que a luz se vá completamente". Apanhou a jarra d'água e despejou um pouco cuidadosamente sobre o lugar ao fundo da moldura da porta, tão próxima quanto possível do ponto em que julgava que a chave tinha caído. Em seguida, com a colher e o dedo raspou e fuxicou na lama resultante. Pouco a pouco, com novas aplicações de água da jarra, cavou uma longa trilha por baixo da porta. Deitando-se, procurou olhar por ela, mas não era fácil ver qualquer coisa. Arregaçando a manga, achou que podia enfiar a mão e parte do braço por debaixo da porta. Tateou em volta com dedos exploratórios e, finalmente, a ponta do dedo tocou em algo metálico. Tinha localizado a chave, mas era incapaz de esticar o braço o bastante para agarrá-la mais de perto. Seu movimento seguinte foi pegar o alfinete de segurança que prendia uma alça rasgada da sua roupa. Dobrando-o em gancho, enfiou nele um pedaço de pão árabe e deitou-se novamente para pescar. Justamente quando estava a pique de gritar de raiva, o alfinete de segurança em gancho agarrou na chave, e ela foi capaz de puxá-la ao alcance de seus dedos e, em seguida, puxá-la pela trilha de lama para o lado de dentro da porta.

Victoria sentou-se sobre os calcanhares cheia de admiração pela sua própria engenhosidade. Agarrando a chave com a mão enlameada, levantou-se e colocou-a na fechadura. Esperou por um momento, quando houve um grande coro de cachorros latindo na vizinhança próxima, e deu a volta. A porta cedeu ao empurrão e abriu-se um pouco. Victoria olhou cautelosamente pela abertura. A porta dava para um outro quarto pequeno com uma porta aberta do outro lado. Victoria esperou por um momento e, em seguida, na ponta dos pés, saiu e atravessou-o. O quarto exterior tinha grandes buracos escancarados no telhado e um ou dois no chão. A porta do outro lado dava para o alto de um lance de escada de degraus rudes de tijolos de barro fixados de um lado da casa e que levavam para o jardim.

Isso era tudo que Victoria queria ver. Na ponta dos pés, voltou para sua prisão. Havia pouca probabilidade de alguém voltar a chegar perto dela novamente durante a noite. Esperaria até que ficasse escuro e a aldeia ou cidade estivesse adormecendo, e então iria embora.

Havia notado outra coisa ainda. Um pedaço de tecido preto rasgado estava num monte perto da porta exterior. "Era", pensava, "uma velha *aba* e calharia bem para encobrir suas roupas ocidentais".

Não saberia dizer quanto tempo esperou. Pareciam-lhe horas intermináveis. No entanto, finalmente, os vários ruídos da espécie humana local morriam. O rumor longínquo de um gramofone ou fonógrafo parou com suas canções árabes, as vozes roufenhas e escarradas pararam, e não havia mais as altas risadas guinchantes de mulheres ao longe, nem o choro de crianças.

Finalmente ouviu apenas o ruído longínquo de uivos, que julgava serem chacais, e as explosões intermitentes de latidos que sabia que iriam continuar por toda a noite.

— Bem, vamos lá! — disse Victoria e se levantou.

Depois de um momento de espera, cerrou a porta de sua prisão pelo lado de fora e deixou a chave na fechadura. Em seguida, tateou seu caminho através do quarto exterior, pegou o monte de fazenda escura e saiu no alto das escadas de barro. Havia uma lua, mas ainda estava baixa no céu. Fornecia bastante claridade para Victoria enxergar seu caminho. Desceu pela escada e fez uma pausa a uns quatro degraus do fundo. Aqui estava no nível do muro de adobe que cercava o jardim. Se continuasse pela escada, teria de passar ao lado da casa. Podia ouvir roncos dos quartos de baixo. Se seguisse pelo alto do muro, seria melhor. O muro era bastante largo para se andar sobre ele.

Escolheu o último caminho e foi ligeira e algo precariamente até onde o muro virava num ângulo reto. Aqui, do lado de fora, estava o que parecia ser um jardim de palmeiras e, em certo ponto, o muro estava-se esfarelando. Victoria se dirigiu para ali, em parte pulando e em parte escorregando para baixo. Alguns momentos mais tarde, estava serpenteando por entre as palmeiras em direção a uma brecha na parede oposta. Saiu numa ruazinha estreita de natureza primitiva, estreita demais para a passagem de um carro, mas adequada para burros. Foi se esgueirando entre muros de adobe e correu ao longo da rua tão depressa quanto pôde.

Agora cachorros começaram a latir furiosamente. Dois cachorros castanho-claros vieram rosnando para ela, saídos de uma porta. Victoria pegou uma porção de detritos e tijolos e jogou-os contra eles. Ganiram e correram embora. Victoria continuou correndo. Contornou uma esquina e chegou ao que era evidentemente a rua principal. Estreita e pesadamente sulcada de carros, ela atravessava uma aldeia de casas de adobe, uniformemente pálidas à luz do luar. Palmeiras olhavam por sobre muros, cachorros rosnavam e latiam. Victoria inspirou profundamente e correu. Cachorros continuavam latindo, mas nenhum ser humano teve qualquer interesse por esse possível salteador noturno. Logo saiu num espaço largo, com um riacho enlameado com uma ponte decrépita e corcunda sobre ele. Além dela, a estrada ou trilha levava ao que parecia o espaço infinito. Victoria continuou a correr até que ficou sem fôlego.

A aldeia ficara bem atrás dela agora. A lua estava alta no céu. À sua esquerda, à sua direita e à sua frente só havia o chão árido, pedregoso. Parecia plano, mas na realidade era ligeiramente abaulado. Não havia, até onde Victoria pôde ver, nenhuma sinalização e não tinha ideia da direção a que a trilha levava. Ela não era bastante entendida em estrelas para saber ao menos em que direção da bússola estava indo. Havia algo sutilmente terrível nesta grande extensão vazia, mas era impossível voltar atrás. Ela apenas podia avançar.

Parando alguns momentos para recuperar o fôlego e assegurando-se, olhando por sobre o ombro, de que a sua fuga não tinha sido descoberta, ela continuou, caminhando constantes cinco quilômetros por hora em direção ao desconhecido.

O crepúsculo veio finalmente encontrar Victoria cansada, de pés feridos e quase à beira da histeria. Notando a luz no céu, ela descobriu que estava indo aproximadamente para o sudoeste, mas, como não sabia onde estava, essa informação era de pouca utilidade para ela.

Um pouco para o lado da estrada, mais à frente, havia uma espécie de monte ou pequena colina compacta.

Victoria saiu da trilha e seguiu caminho para o monte, cujos lados eram bastante íngremes, e subiu ali.

Pôde então fazer uma inspeção da paisagem em toda a sua volta e seu insensato sentimento de pânico retornou. Pois em todo lugar não havia nada... A cena era linda na luz do início da manhã. O solo e o horizonte estavam brilhantes em esmaecidas cores pastel de abricó, creme e cor-de-rosa, nos quais se viam desenhos de sombras. Era lindo, mas assustador.

"Agora sei", pensou Victoria, "o que significa quando alguém diz que está sozinho no mundo...".

Havia um pouco de grama leve e agreste em manchas escuras aqui e ali e alguns espinheiros secos. Mas, de outra forma, não havia nada cultivado nem sinais de vida. Havia apenas Victoria Jones.

Da aldeia da qual tinha fugido também não havia sinais. A estrada pela qual tinha vindo se estendia para trás aparentemente para um deserto infinito. Parecia incrível à Victoria que pudesse ter andado tanto para perder a aldeia completamente de vista. Por um momento, assolada pelo pânico, teve uma ânsia de voltar. Obter novamente de uma forma ou de outra contato com a espécie humana...

Em seguida, dominou-se. Tinha querido escapar e tinha escapado, mas suas preocupações não haviam simplesmente terminado apenas porque tinha posto diversos quilômetros entre si e seus carcereiros. Um carro, por mais velho e alquebrado, faria trabalho rápido nesses quilômetros. Logo que a sua fuga fosse descoberta, alguém viria à sua procura. E como, então, ela iria conseguir cobertura ou se esconder? Simplesmente não havia onde se esconder.

Ainda carregava a *aba* preta esfarrapada que tinha apanhado. Agora, experimentalmente, embrulhou-se em suas dobras, puxando-a por sobre o rosto. Não tinha ideia de como ficara, pois não tinha espelho consigo. Se tirasse seus sapatos europeus e suas meias, e prosseguisse de pés descalços, possivelmente poderia fugir da detenção. Uma mulher árabe, virtuosamente vendada, por esfarrapada e pobre que fosse, tinha, ela sabia, toda imunidade possível. Seria o cúmulo da falta de boas maneiras para qualquer homem dirigir-se a ela. Mas esse disfarce poderia enganar olhos ocidentais à sua procura? De qualquer forma, era sua única chance.

Agora, estava cansada demais para continuar. E estava com uma sede terrível, mas era impossível fazer algo a esse respeito. A melhor coisa, decidiu ela, era deitar-se ao lado daquele monte. Poderia escutar um carro se viesse e, se ela se encolhesse contra a pequena garganta que a erosão tinha feito abaixo e do lado do monte, poderia ter alguma ideia de quem estava no carro.

Podia encontrar cobertura, esgueirando-se para o lado de trás do monte, de modo a ficar fora das vistas da estrada.

Por outro lado, precisava urgentemente voltar para a civilização, e o único meio, até onde ela podia ver, era parar um carro com europeus dentro e pedir uma carona.

Mas precisava estar segura de que os europeus eram os europeus certos. E como diabos podia se assegurar disso?

Preocupando-se com este detalhe, Victoria inesperadamente caiu no sono, cansada de sua longa caminhada, totalmente exausta.

Quando acordou, o sol estava a pino. Sentia-se quente, e dura, e zonza, e sua sede agora era um tormento louco. Victoria soltou um grunhido, mas, quando o grunhido saiu de seus lábios, ela subitamente se calou para escutar. Ouviu leve, mas distintamente, o som de um carro. Muito cautelosamente levantou a cabeça. O carro não estava vindo da direção da aldeia, mas indo em sua direção. Isso queria dizer que não vinha em perseguição. Ainda era um pontinho preto, lá longe na estrada. No entanto, ficando deitada e tão escondida quanto possível, Victoria observou-o chegar mais perto. Como desejou ter um binóculo!

O carro desapareceu por alguns momentos numa depressão do terreno e, em seguida, reapareceu subindo uma elevação não muito distante. Havia um motorista árabe e, ao lado dele, estava um homem de roupas europeias.

"Agora", pensou Victoria, "tenho de decidir". Seria esta a sua chance? Ela deveria correr para a estrada e fazer sinal para o carro parar?

Justamente quando estava se preparando para assim fazer, uma dúvida súbita a freou. Suponha, apenas suponha, que este é o inimigo?

Afinal de contas, como poderia saber? A trilha era certamente muito deserta. Nenhum outro carro tinha passado. Nem caminhão. Nem mesmo uma tropa de burros. Este carro estava indo, talvez, para a aldeia que ela tinha deixado a noite passada...

O que devia fazer? Era uma decisão terrível para ser tomada num instante. Se fosse o inimigo, seria o fim. Mas se não fosse o inimigo, poderia ser a sua única esperança de sobrevivência, pois se continuasse a perambular, provavelmente morreria de sede e inanição. O que deveria fazer?

Enquanto estava agachada, paralisada pela indecisão, a rota do carro que se aproximava mudou. Reduziu a velocidade e, em seguida, guinando, saiu da estrada e, pelo solo pedregoso, veio em direção ao monte no qual ela estava agachada.

Tinha sido vista! Estavam procurando por ela!

Victoria escorregou para baixo pela garganta, engatinhou em volta das costas do monte, para longe do carro que se aproximava. Escutou-o frear e o ruído da porta quando alguém saiu.

Então alguém disse algo em árabe. Depois disso, nada aconteceu. Subitamente, sem qualquer aviso, um homem chegou ao seu campo de visão. Estava andando em volta do monte, a cerca de meia altura dele. Seus olhos estavam pregados no chão e, de momento a momento, ele parava e levantava qualquer coisa. Seja lá o que estivesse procurando, não parecia ser uma pequena chamada Victoria Jones. Além disso, ele era inconfundivelmente inglês.

Com uma exclamação de alívio, Victoria pôs-se de pé e veio ao seu encontro. Ele levantou a cabeça e olhou surpreso.

— Oh, por favor — disse Victoria. — Estou tão contente que tenha vindo.

Ele ainda a olhava.

— Ora, bolas — começou ele. — Você é inglesa? Mas...

Com um acesso de riso, Victoria jogou longe a *aba* que a envolvia.

— Claro que sou inglesa — disse. — E, por favor, você pode me levar de volta para Bagdá?

— Eu não estou indo para Bagdá. Acabei de vir de lá! Mas o que, em nome do demônio, você está fazendo aqui, sozinha, no meio do deserto?

— Fui raptada — disse Victoria sem fôlego. — Fui lavar meus cabelos e me deram clorofórmio. E, quando acordei, estava numa casa árabe numa aldeia acolá.

Gesticulou em direção ao horizonte.

— Em Mandali?

— Não sei o nome. Escapei a noite passada, caminhei por toda a noite e, em seguida, me escondi atrás deste morro, para o caso de vir um inimigo.

Seu salvador a estava olhando com uma expressão muito esquisita no rosto. Era um homem de cerca de 35 anos, de cabelos louros e aparência um tanto pedante. Sua linguagem era acadêmica e precisa. Colocou um *pince-nez* e olhou-a através dele com uma expressão de dissabor. Victoria percebeu que esse homem não estava acreditando numa palavra do que ela estava dizendo.

Imediatamente foi levada à indignação furiosa.

— É a mais pura verdade — disse ela. — Cada palavra que disse!

O estranho parecia mais descrente do que nunca.

— Muito notável — disse ele em tom frio.

O desespero se apossou de Victoria. Como era injusto: enquanto sempre poderia fazer uma mentira soar plausível, quando se tratava da verdade nua ela não conseguia se fazer acreditar. Fatos reais ela contava mal e sem convicção.

— E se você não tiver algo para beber, vou morrer de sede — disse ela. — De qualquer forma morrerei de sede, se você me deixar aqui e for embora sem mim.

— Naturalmente, eu não sonharia fazer isso — disse o estranho empertigado. — É bastante inadequado para uma inglesa estar perambulando sozinha no deserto. Nossa, seus lábios estão bem rachados... Abdul!

— *Sahib?*

O motorista apareceu na beirada do monte.

Depois de receber instruções em árabe, saiu correndo em direção ao carro, para voltar logo depois com uma grande garrafa térmica e um copo de baquelita.

Victoria bebeu a água avidamente.

— Oh! — disse ela. — Assim está melhor.

— Meu nome é Richard Baker — disse o inglês. Victoria reagiu.

— Sou Victoria Jones — disse. E, em seguida, num esforço para reconquistar o terreno perdido e substituir a descrença que via por uma atenção respeitosa, acrescentou:

— Pauncefoot Jones. Estou me juntando ao meu tio, dr. Pauncefoot Jones, em sua escavação.

— Que extraordinária coincidência — disse Baker, olhando-a surpreso. — Eu mesmo estou indo para a escavação. Fica apenas a cerca de vinte quilômetros daqui. Fui a pessoa acertada para tê-la salvo, não é?

Dizer que Victoria estava espantada é pouco. Estava completamente pasma. Tanto assim que ficou completamente incapaz de dizer uma palavra de qualquer espécie.

Mansamente e em silêncio, ela seguiu Richard para o carro e entrou.

— Suponho que você seja a antropóloga — disse Richard, quando a acomodou no assento de trás, retirando diversos objetos. — Ouvi dizer que você estava para chegar, mas não a esperava tão cedo.

Ficou por um momento separando diversas lascas em potes que tirava dos bolsos e que, Victoria agora percebia, eram o que ele tinha estado apanhando no chão da superfície do monte.

— Bem simpático esse pequeno *Tell* — comentou, gesticulando na direção do monte. — Mas nada há de especial nele, até onde eu posso ver. Peças assírias mais recentes na maioria, alguma coisa da Pártia, umas bases de anéis bastante boas do período kassista — sorriu ao acrescentar. — Estou contente em verificar que, apesar das suas encrencas, seus instintos arqueológicos a levaram a examinar um *Tell*.

Victoria abriu a boca e a fechou novamente. O motorista engrenou o carro e eles partiram.

O que, no fim das contas, podia ela dizer? Na verdade, seria desmascarada tão logo chegassem à Casa da Expedição; mas seria infinitamente melhor ser desmascarada lá e pedir penitência pelas suas invenções do que confessar tudo ao sr. Richard Baker no meio de lugar nenhum. O pior que lhe poderiam fazer era mandá-la para Bagdá. "E, de qualquer modo", pensou Victoria, incorrigível como sempre, "talvez antes de chegar lá eu tenha pensado em alguma coisa". Sua imaginação ocupada começou a trabalhar incontinente. Um lapso de memória? Ela havia viajado para cá com uma moça que lhe tinha pedido... não, realmente, até onde ela podia ver, teria de fazer uma confissão sincera. Mas preferia infinitamente fazer uma confissão sincera ao dr. Pauncefoot Jones, fosse ele quem fosse, a fazê-la ao sr. Richard Baker, com sua maneira pedante de levantar as sobrancelhas e a sua óbvia descrença na história verdadeira e exata que ela tinha lhe contado.

— Não vamos direto para Mandali — disse o sr. Baker, voltando-se no assento dianteiro. — Saímos da estrada para o deserto daqui a mais ou menos um quilômetro. Um pouco difícil acertar com o lugar exato sem quaisquer sinais especiais.

Logo em seguida, disse alguma coisa a Abdul, e o carro guinou abruptamente da trilha e entrou pelo deserto. Sem quaisquer marcos visíveis para guiá-lo, até onde Victoria pôde ver, Richard Baker dirigiu Abdul com gestos: "para a direita", "agora para a esquerda". Logo Richard fez uma exclamação de satisfação.

— Estamos na trilha certa agora — disse ele.

Victoria não conseguia ver trilha nenhuma. Mas logo conseguiu avistar, de quando em quando, marcas sumidas de pneus.

Uma ocasião em que cruzaram uma pista um pouco mais claramente marcada, Richard proferiu uma exclamação e mandou Abdul parar.

— Aqui está uma vista interessante para você — disse à Victoria.

— Já que é nova neste país não deverá tê-la visto antes.

Dois homens estavam avançando em direção ao carro, ao longo da trilha transversal. Um deles carregava um banco curto de madeira às costas; o outro, um objeto grande de madeira, do tamanho de um piano.

Richard saudou-os; eles o cumprimentaram com todos os sinais de prazer. Richard tirou cigarros e um espírito integral de festa parecia estar se desenvolvendo.

Em seguida, Richard voltou-se para ela.

— Gosta de cinema? Então vai ver um espetáculo.

Ele falou aos dois homens, e eles sorriram com prazer. Colocaram o banco e fizeram gestos para Victoria e Richard sentaram-se. Em seguida, montaram a engenhoca redonda numa espécie de base. Tinha dois buracos para os olhos e, ao olhar para ela, Victoria gritou:

— É como os espetáculos mambembes. *O que o mordomo viu.*

— É isso mesmo — disse Richard. — Mas uma forma primitiva.

Victoria aproximou os olhos do buraco envidraçado; um dos homens começou a girar lentamente uma alavanca ou manivela, e o outro começou uma espécie de canto monótono.

— O que ele está dizendo? — perguntou Victoria.

Richard traduziu enquanto o canto continuava.

— Chegue perto e prepare-se para grande maravilha e delícia. Prepare-se para ver as maravilhas da antiguidade.

Um retrato toscamente pintado de negros colhendo trigo flutuou para o olhar de Victoria.

— Fellahin na América — anunciou Richard, traduzindo. Em seguida, veio:

— A mulher do grande xá do mundo ocidental e a imperatriz Eugênia com um sorriso tolo e afetado tateando um longo anel de cabelo. Um retrato do Palácio Real em Montenegro, outro da Grande Exibição.

Uma coleção estranha e variada de retratos seguiu-se uma à outra, todas completamente sem inter-relação e, às vezes, anunciadas nos termos mais estranhos.

O príncipe consorte, Disraeli, fiordes da Noruega e patinadores na Suíça completaram este estranho vislumbre de dias velhos e distantes.

O exibidor terminou a sua exposição com as seguintes palavras:

“E assim levamos até vocês os milagres e maravilhas da antiguidade em outros países e lugares longínquos. Que o seu donativo seja generoso para corresponder às maravilhas que acabam de ver, pois todas essas coisas são verdadeiras.”

Estava terminado. Victoria brilhava de contentamento.

— Isso foi realmente maravilhoso! — disse ela. — Eu não teria acreditado.

Os proprietários do cinema ambulante estavam sorrindo orgulhosamente. Victoria levantou-se do banco, e

Richard, que estava sentado na outra ponta, foi jogado ao chão numa posição um tanto indigna. Victoria pediu desculpas, mas não estava insatisfeita. Richard recompensou os homens do cinema e com adeuses corteses e expressões de preocupação, invocando as bênçãos de Deus uns para os outros, separaram-se. Richard e Victoria entraram novamente no carro, e os homens continuaram caminhando deserto adentro.

— Para onde vão? — perguntou Victoria.

— Viajam por todo o país. Primeiro os encontrei na Transjordânia, vindo pela estrada do mar Morto para Amã. Na realidade, estão a caminho de Kerbela agora, indo, naturalmente, por rotas não frequentadas para poderem dar espetáculos em aldeias remotas.

— Talvez alguém lhes dê uma carona.

Richard riu.

— Provavelmente não a aceitariam. Uma vez ofereci uma carona a um velho que estava andando de Basrah a Bagdá. Perguntei-lhe quanto tempo esperava viajar, e ele respondeu um par de meses. Eu lhe disse para subir e estaria lá naquela noite, mas ele me agradeceu e disse que não. Daqui a dois meses lhe serviria igualmente bem. O tempo não significa nada por aqui. Uma vez que a gente mete isso na cabeça, sente uma curiosa satisfação.

— Sim. Posso imaginar.

— Os árabes acham a nossa impaciência ocidental de fazer as coisas depressa extraordinariamente difícil de entender, e o nosso hábito de ir diretamente ao assunto numa conversa lhes parece extremamente mal-educado. Deve-se sempre passar algum tempo jogando conversa fora, ou, então, simplesmente não falar nada.

— Extremamente esquisito se fizéssemos isso nos escritórios em Londres. Perderíamos muito tempo.

— Sim, mas voltamos novamente à questão: Que é tempo? E que é desperdício?

Victoria meditou sobre esses pontos. O carro ainda parecia estar prosseguindo para lugar nenhum com a maior confiança.

— Onde é que fica esse lugar? — perguntou por fim.

— Tell Aswad? Bem fora, no meio do deserto. Você verá o Ziggurat logo, logo. Enquanto isso, olhe para a sua esquerda, lá onde estou apontando.

— São nuvens? — perguntou Victoria. — Não podem ser montanhas.

— São sim. As montanhas do Curdistão, cobertas de neve. Você só pode vê-las quando o tempo está claro.

Uma sensação sonhadora de contentamento apossou-se de Victoria. Se pudesse apenas continuar a viajar assim para sempre, se não fosse apenas uma mentirosa tão miserável... Encolheu-se como uma criança ao pensamento do desenlace desagradável à sua frente. Que tal seria o dr. Pauncefoot Jones? Alto, com uma longa barba cinza e um franzir de testa feroz? Não importava, por mais aborrecido que o dr. Pauncefoot Jones pudesse ficar, ela havia passado a perna em Catarina, no Ramo de Oliveira e no dr. Rathbone.

— Aí está — disse Richard.

Ele apontou para a frente. Victoria vislumbrou uma espécie de borbulha no horizonte distante.

— Parece muitos quilômetros distante.

— Oh, não, são apenas alguns quilômetros agora. Você vai ver.

E, na realidade, a borbulha se transformou, com rapidez espantosa, primeiro numa pústula e, em seguida, num monte e, finalmente, num *Tell* grande e impressionante. Ao lado dele, estava um edifício longo e esparramado de tijolos de barro.

— A Casa da Expedição — disse Richard.

Foram precedidos pelo latido dos cachorros. Empregados em mantas brancas vieram cumprimentá-los, todo sorrisos.

Depois de uma troca de cumprimentos, Richard disse:

— Aparentemente não estavam esperando por você tão cedo. Mas vão arrumar a sua cama. E vão lhe trazer água quente imediatamente. Gostaria de um banho e descanso? O dr. Pauncefoot Jones está lá em cima no *Tell*. Vou subir até ele. Ibrahim tomará conta de você.

Afastou-se, e Victoria seguiu um Ibrahim sorridente para dentro da casa. Parecia escuro do lado de dentro, quando se saía diretamente do sol. Passaram por uma sala de estar com algumas mesas grandes e algumas poltronas de braços castigadas e, em seguida, ela foi levada em volta de um pátio para dentro de um quarto pequeno com uma janela minúscula. Continha uma cama, um gaveteiro rústico, uma cadeira e uma mesa com uma jarra e uma bacia sobre ela. Ibrahim sorriu e lhe trouxe uma jarra grande de água quente de aspecto bastante lamacento e uma toalha áspera. Em seguida, com um sorriso de desculpa, voltou com um pequeno espelho que cuidadosamente fixou num prego na parede.

Victoria estava agradecida por ter a oportunidade de se lavar. Tinha acabado de constatar como estava extremamente cansada e esgotada, e como estava imunda.

"Suponho que esteja parecendo simplesmente assustadora", disse para si mesma e aproximou-se do espelho.

Por alguns momentos ficou olhando para o seu reflexo sem compreender.

Isso não era ela, isso não era Victoria Jones.

E então compreendeu que, embora as feições fossem as feições miúdas e bonitas de Victoria Jones, seu cabelo estava louro platinado!

Capítulo 19

I

Richard encontrou o dr. Pauncefoot Jones nas escavações, agachado ao lado do seu feitor e batendo suavemente com uma pequena picareta numa seção de parede.

O dr. Pauncefoot Jones cumprimentou seu colega com maneiras casuais.

— Olá, Richard, meu rapaz, então você apareceu. Achava que você viria na terça-feira, não sei por quê.

— Hoje é terça-feira — disse Richard.

— É mesmo? — disse o dr. Pauncefoot Jones sem interesse. — Venha para cá e me diga o que você pensa disso. Paredes completamente boas aparecendo e nós apenas cavamos um metro. Parece-me que há alguns traços de pintura aqui. Venha e veja o que acha. Parece-me muito promissor.

Richard pulou para dentro da trincheira, e os dois arqueólogos divertiram-se de maneira altamente técnica por cerca de um quarto de hora.

— Aliás — disse Richard —, eu trouxe uma garota.

— Oh, sim, que espécie de garota?

— Ela diz que é sua sobrinha.

— Minha sobrinha? — Não sem esforço, o dr. Pauncefoot Jones desviou a mente de sua contemplação das paredes de barro. — Acho que não tenho qualquer sobrinha — disse em dúvida, como se pudesse ter alguma e ter esquecido a seu respeito.

— Ela está vindo para trabalhar aqui com você, pelo que compreendi.

— Ah. — O rosto do dr. Pauncefoot Jones se aclarou. — Naturalmente. Deve ser Verônica.

— Victoria, acho que foi o que ela disse.

— Sim, sim. Victoria. Emerson escreveu-me sobre ela de Cambridge. Uma moça bastante capaz, compreendo. Uma antropóloga. Não sei por que alguém quer ser antropólogo, você pode imaginar?

— Ouvi dizer que uma jovem antropóloga vinha para cá.

— Não há nada no campo dela por enquanto. Naturalmente, estamos apenas começando. Na verdade, eu pensava que ela só viesse daqui a quinze dias, mas não li a carta dela com muita atenção e depois a perdi, de modo que não me lembro realmente o que dizia. Minha mulher chega na próxima semana... ou na semana seguinte... ora, que foi que fiz com a carta dela?... e eu pensei que Venetia estava vindo junto com ela... mas naturalmente posso ter entendido tudo errado. Bem, bem, eu diria que podemos torná-la útil. Há um monte de cerâmica aparecendo.

— Não há nada estranho sobre ela, há?

— Estranho? — O dr. Pauncefoot Jones olhou para ele. — De que maneira?

— Bem, ela não teve um colapso nervoso ou qualquer coisa assim?

— Emerson disse, segundo lembro, que ela tinha estado trabalhando muito. Diploma ou grau de qualquer coisa, mas não creio que tinha dito algo sobre um colapso. Por quê?

— Bem, eu a apanhei à beira da estrada, perambulando completamente sozinha. Foi, na realidade, naquele pequeno *Tell* que você encontra a cerca de um quilômetro antes de sair da estrada.

— Lembro — disse o dr. Pauncefoot Jones. — Sabe, uma vez encontrei um bocado de material Nuzu naquele *Tell*. Extraordinário, realmente, encontrá-lo tanto para o sul.

Richard recusou-se a ser distraído por tópicos arqueológicos e continuou firmemente.

— Ela me contou uma história extraordinária. Disse que tinha ido lavar o cabelo e que a cloroformizaram e raptaram e levaram para Mandali e a prenderam numa casa da qual ela escapou no meio da noite... a lengalenga mais disparatada que já se ouviu.

O dr. Pauncefoot Jones abanou a cabeça.

— Não parece mesmo provável — disse ele. — O país está perfeitamente calmo e bem policiado. Nunca esteve tão seguro.

— Exatamente. Ela obviamente inventou essa coisa toda. Foi por isso que perguntei se ela tinha tido um colapso. Deve ser uma dessas moças histéricas que dizem que os padres estão enamorados delas ou que os médicos as atacam. Pode nos dar muito incômodo.

— Oh, espero que se acalme — disse o dr. Pauncefoot Jones com otimismo. — Onde está ela agora?

— Deixei-a na Casa, para tomar banho e se arrumar — ele hesitou. — Não tem bagagem de qualquer espécie com ela.

— Não tem? Isso é realmente embaraçoso. Espero que ela não imagine que eu vá lhe emprestar pijamas. Só tenho dois pares e um deles está tristemente rasgado.

— Ela tem de se arrumar o melhor que puder até que o caminhão vá à cidade na próxima semana. Devo dizer que fico me perguntando o que ela estaria fazendo sozinha, no deserto.

— As moças de hoje são espantosas — disse o dr. Pauncefoot Jones vagamente. — Aparecem em todo lugar. Grande aborrecimento quando se quer tocar as coisas para a frente. Este lugar é bastante afastado, pensaria você, para se ficar livre de visitantes, mas você ficará surpreso como carros e pessoas aparecem quando você menos precisa deles. Nossa, os homens pararam de trabalhar. Deve ser hora do almoço. Melhor voltarmos para a Casa.

II

Victoria, esperando com alguma apreensão, achou o dr. Pauncefoot Jones enormemente diferente do que imaginara. Era um homem rotundo, pequeno, com uma cabeça semicalva e um olho cintilante. Para seu extremo espanto veio em sua direção de mãos estendidas.

— Bem, bem, Venetia... quero dizer, Victoria — disse ele. — Isso é uma verdadeira surpresa. Meti na cabeça que você não iria chegar antes do mês que vem. Mas estou encantado em vê-la. Encantado. Como está Emerson? Não incomodado demais pela asma, espero.

Victoria reuniu seus sentidos dispersos e disse cautelosamente que a asma não tinha estado ruim demais.

— Embrulha demais sua garganta — disse o dr. Pauncefoot Jones. — Grande erro, eu lhe disse isso. Todos esses camaradas acadêmicos das universidades ficam absorvidos demais com sua saúde. Não devia pensar a respeito. Essa é a maneira de se ficar em forma. Bem, espero que você vá se acomodar... minha mulher virá na semana que vem... ou na semana seguinte... ela tem estado doente, sabe. Eu realmente tenho de encontrar a carta dela. Richard me disse que sua bagagem perdeu-se. Como é que você vai se arranjar? Não posso mandar o caminhão para a cidade antes da próxima semana.

— Acho que posso me arranjar até lá — disse Victoria. — Na realidade, vou ter de fazer isso.

O dr. Pauncefoot Jones riu.

— Richard e eu não podemos lhe emprestar muita coisa. Escova de dentes está certo. Há dúzias delas em nosso depósito... e algodão, se isso lhe serve de alguma coisa e... deixe-me ver... talco... e algumas meias de reserva e lenços. Não há muito mais, temo.

— Estarei bem — disse Victoria e sorriu alegremente.

— Não há sinais de cemitério para você — preveniu o dr. Pauncefoot Jones. — Alguns muros bonitos estão aparecendo... e quantidades de sacos de cerâmica das trincheiras afastadas. Poderei encontrar algumas que se encaixem. Vamos conservá-la ocupada de uma maneira ou de outra. Esqueci se você lida com fotografias.

— Conheço alguma coisa sobre isso — disse Victoria cautelosamente, aliviada pela menção de alguma coisa da qual realmente tinha alguma experiência útil.

— Bem, bem, sabe revelar negativos? Eu sou antiquado, ainda uso chapas. A câmara escura é bastante primitiva. Vocês jovens, que estão acostumados com todas as inovações, frequentemente acham essas condições primitivas um tanto perturbadoras.

— Não vou me importar — disse Victoria.

Dos armazéns da expedição, ela selecionou uma escova de dentes, pasta de dentes, uma esponja e algum talco.

Sua cabeça estava ainda rodando enquanto procurava compreender exatamente qual era a sua posição. Claramente, estava sendo confundida com uma moça chamada Venetia qualquer coisa, que vinha juntar-se à expedição e que era antropóloga. Victoria nem mesmo sabia o que era um antropólogo. Se houvesse algum dicionário por ali, ela teria que procurar saber. A outra moça provavelmente não iria chegar antes da próxima semana pelo menos. Muito bem, então, por uma semana — ou por um tempo até que o caminhão fosse para Bagdá —, Victoria seria Venetia sei-lá-o-quê, aguentando as pontas o melhor que pudesse. Não tinha medo do dr. Pauncefoot Jones, que parecia deliciosamente ausente, mas Richard Baker a deixava nervosa. Ela desgostava da maneira especulativa pela qual olhava para ela e tinha uma ideia de que, a não ser que fosse cuidadosa, ele brevemente enxergaria através de suas pretensões. Felizmente ela tinha sido, por um breve período, secretária-datilógrafa no Instituto Arqueológico de Londres e, assim, tinha uma tintura de frases e miudezas que agora viriam a calhar. Mas tinha de ser cuidadosa para não exagerar. "Felizmente", pensou Victoria, "os homens eram sempre tão superiores diante de mulheres, que qualquer descuido seria tratado menos como uma circunstância suspeita do que como uma prova de quanto eram ridiculamente desajeitadas todas as mulheres!".

Esse intervalo lhe daria um adiantamento de que, ela sentia, precisava urgentemente. Pois, do ponto de vista do Ramo de Oliveira, o seu completo desaparecimento seria bastante desconcertante. Ela havia escapado de sua prisão, mas o que lhe acontecera depois seria muito difícil de seguir. O carro de Richard não tinha passado por Mandali, de modo que ninguém podia adivinhar que ela estava agora em Tell Aswad. Não... do ponto de vista deles, Victoria deveria parecer desaparecida no éter. Poderiam concluir, muito possivelmente concluiriam, que ela estava morta, que tinha ido para o deserto e morrido de exaustão.

Bem, deixem-nos pensar assim. Infelizmente, era natural, Edward pensaria assim também! Muito bem, Edward tinha de aguentar. De qualquer modo, não por muito tempo. Justamente quando estivesse se torturando de remorsos por tê-la mandado cultivar a amizade de Catarina, ela estaria ali, subitamente restaurada para ele, de volta dos mortos, apenas loura ao invés de morena.

Isso a trazia de volta ao mistério de por que eles (seja lá quem fossem) tinham tingido seu cabelo. "Devia", pensava Victoria, "ter havido alguma razão"; mas não era capaz de compreender que razão poderia ser essa. Como estavam as coisas, ela em breve estaria começando a ficar de aparência um tanto peculiar, quando seu cabelo começasse a crescer preto nas raízes. Uma loura platinada falsa, sem pó facial ou batom! Poderia qualquer pequena estar colocada mais desafortunadamente? "Não importa", pensou Victoria. "Estou viva, não estou? E não vejo por que não deveria me divertir um bocado, pelo menos por uma semana." Era realmente muito divertido fazer parte de uma expedição arqueológica e ver como era. Contanto que pudesse aguentar as pontas sem se trair.

Ela não achava seu papel especialmente fácil. Referências a pessoas, a publicações, a estilos de arquitetura e categorias de cerâmica tinham de ser manejadas cuidadosamente. Felizmente, um bom ouvinte é sempre apreciado. Victoria era excelente ouvinte para os dois homens e, cuidadosamente tateando seu caminho, ela começou a aprender o jargão com bastante facilidade.

Às escondidas, lia furiosamente quando estava na casa sozinha. Havia uma boa biblioteca de publicações arqueológicas.

Victoria foi rápida em apanhar umas noções do assunto. Inesperadamente, começou a achar aquela vida bem encantadora. O chá servido cedo de manhã; em seguida, a escavação. Ajudando Richard com o trabalho de câmera. Juntando e colando cacos de cerâmica. Observando homens trabalhando, apreciando a perícia e a delicadeza dos homens da picareta, apreciando as canções e os risos dos meninos pequenos que corriam para esvaziar seus cestos de terra sobre a pilha. Ela dominou os períodos, conhecia os diversos níveis nos quais a escavação estava se realizando e familiarizou-se com o trabalho da estação anterior. A única coisa de que tinha pavor era de que cadáveres pudessem aparecer. Nada do que lia lhe dava qualquer ideia do que seria esperado dela como antropóloga em atividade!

"Se encontrarmos ossos ou um túmulo", disse Victoria para si mesma, "eu devo ficar com um terrível resfriado... não, um severo ataque de bílis... e ir para a cama".

Mas não apareciam túmulos. Em lugar disso, as paredes de um palácio foram lentamente escavadas. Victoria ficou fascinada e não teve oportunidade de demonstrar qualquer aptidão ou perícia especiais.

Richard Baker, às vezes, ainda a olhava interrogativamente, e ela sentia seu criticismo impronunciado, mas os seus modos eram amistosos e agradáveis, e ele estava genuinamente divertido pelo seu entusiasmo.

— É tudo novo para você, chegando da Inglaterra — disse ele um dia. — Eu lembro de como fiquei animado na minha primeira temporada.

— Há quanto tempo foi isso?

Ele sorriu.

— Há bastante tempo. Quinze... não, dezesseis anos.

— Você deve conhecer esta terra muito bem.

— Oh, não tem sido só aqui. Síria e Pérsia também.

— Você fala árabe bastante bem, não é? Se estivesse vestido como um deles, poderia passar por um árabe?

Ele meneou a cabeça.

— Oh, não... seria preciso muito mais que isso. Duvido que algum inglês alguma vez tenha conseguido passar por árabe... por algum tempo prolongado, quero dizer.

— Lawrence?

— Não acho que Lawrence qualquer dia tenha passado por árabe. Não, o único homem que conheço e que é praticamente indistinguível do produto nativo é um camarada que realmente nasceu nestas terras. Seu pai foi cônsul em Kashgar e outros lugares selvagens. Ele falava toda sorte de dialetos esquisitos quando criança e, acredito, continuou praticando mais tarde.

— Que aconteceu a ele?

— Perdi-o de vista depois que saímos da escola. Estivemos juntos na escola. Faquir, era como costumávamos chamá-lo, porque era capaz de ficar sentado completamente quieto e entrar numa estranha espécie de transe. Não sei o que está fazendo agora... embora pudesse perfeitamente dar um bom palpite.

— Você nunca mais o viu depois da escola?

— Bem estranhamente, encontrei-o ainda outro dia... foi em Basrah. Um negócio muito estranho.

— Estranho?

— Sim. Não o reconheci. Estava vestido como um árabe, *keffiyah* e roupa listrada e um velho dólmã do exército. Ele tinha um fio daquelas contas de âmbar que eles carregam às vezes e estava estalando-as pelos seus dedos da maneira ortodoxa... só que, na realidade, estava usando código do exército. Morse. Estava estalando uma mensagem... para mim!

— O que dizia?

— Meu nome... ou melhor, apelido... e o dele, e, em seguida, um sinal para ficar atento, para esperar encrenca.

— E houve encrenca?

— Sim. Quando ele se levantou e saiu pela porta, um viajante comercial quieto e de tipo insignificante puxou um revólver. Eu empurrei o braço dele para cima... e Carmichael escapou.

— Carmichael?

Ele virou a cabeça rapidamente ao seu tom de voz.

— Esse era seu nome real. Por quê? Conhece-o?

Victoria pensou consigo mesma:

"Que estranho soaria se eu dissesse: 'Ele morreu na minha cama.'"

— Sim — disse lentamente —, eu o conheci.

— Conheceu? Por quê... ele está...

Victoria anuiu com a cabeça:

— Sim — disse. — Está morto.

— Quando foi que ele morreu?

— Em Bagdá. No hotel Tio. — Ela acrescentou rapidamente: — Foi abafado. Ninguém sabe.

Ele fez um sinal afirmativo com a cabeça.

— Estou vendo. Era essa espécie de negócio. Mas você... — Olhou para ela. — Como é que você sabe?

— Fui envolvida nisso... por acidente.

Ele lançou-lhe um longo olhar pensativo. Victoria perguntou subitamente:

— Seu apelido na escola não era Lúcifer, era?

Ele olhou surpreso.

— Lúcifer? Não. Chamavam-me de coruja... porque eu sempre tive de usar óculos brilhantes.

— Não conhece ninguém chamado de Lúcifer em Basrah?

Richard meneou a cabeça.

— Lúcifer, Filho da Manhã... o Anjo Caído.

Ele acrescentou:

— Ou um fósforo antiquado de cera. Seu mérito, se bem me recordo, era que não se apagava ao vento.

Ele a observou de perto enquanto falava, mas Victoria estava franzindo a testa abstratamente.

— Apreciaria se você me contasse exatamente o que aconteceu em Basrah.

— Eu lhe contei.

— Não, quero dizer, onde estava você quando tudo isso aconteceu?

— Oh, estou vendo. Na realidade, estava na sala de espera do consulado. Estava esperando para falar com Clayton, o cônsul.

— E quem mais estava lá? O viajante comercial e Carmichael? Mais alguém?

— Havia dois outros, penso eu, um francês ou sírio magro e um velho, um persa, diria.

— E o viajante comercial tirou o revólver, e você o deteve, e Carmichael saiu... como?

— Ele foi primeiro em direção ao escritório do cônsul. Fica do outro lado de uma passagem com um jardim...

Ela interrompeu.

— Eu sei. Fiquei hospedada lá um ou dois dias. Na realidade, foi depois de você ter partido.

— Ah, é mesmo? — Mais uma vez ele a observou atentamente, mas Victoria estava inconsciente disso. Ela estava vendo aquela longa passagem no consulado, mas com a porta aberta do outro lado, aberta para árvores verdes e a luz do sol.

— Bem, como eu estava dizendo, Carmichael foi primeiro naquela direção. Em seguida, virou-se e correu na direção oposta para a rua. Foi a última vez que o vi.

— E sobre o viajante comercial?

Richard deu de ombros.

— Eu me lembro de ele ter contado uma história confusa sobre ter sido atacado e roubado por um homem na noite anterior e imaginado que tinha reconhecido seu assaltante do árabe do consulado. Não ouvi muito mais sobre isso porque voei para o Kuwait.

— Quem estava hospedado no consulado então? — perguntou Victoria.

— Um camarada chamado Crosbie... um dos camaradas do petróleo. Ninguém mais. Oh, sim, creio que havia mais alguém, vindo de Bagdá, mas não o conheci. Não posso lembrar seu nome.

"Crosbie", pensou Victoria. Ela lembrava do capitão Crosbie, sua figura baixa atarracada, sua conversação *staccato*. Uma pessoa muito comum. Uma alma decente, sem muita *finesse*. E Crosbie voltara para Bagdá na noite em que Carmichael veio para o Tio. Poderia ser porque tinha visto Crosbie na outra ponta da passagem, sua silhueta contra a luz do sol, que Carmichael tinha se voltado tão subitamente e ido para a rua em lugar de tentar chegar ao escritório do cônsul-geral?

Ela ficou pensando nisso com algum interesse. Espantou-se culposamente quando levantou o olhar para encontrar Richard Baker observando-a com atenção.

— Por que quer saber tudo isso? — perguntou.

— Estou apenas interessada.

— Mais alguma pergunta?

Victoria perguntou:

— Você conhece alguém chamado Lefarge?

— Não. Não posso dizer que conheça. Homem ou mulher?

— Não sei.

Estava cismando novamente sobre Crosbie. Crosbie? Lúcifer? Será que Crosbie era Lúcifer?

Naquela noite, quando Victoria tinha dito boa-noite aos dois homens e ido para a cama, Richard disse ao dr. Pauncefoot Jones:

— Será que eu poderia dar uma olhada naquela carta de Emerson? Eu gostaria de ver exatamente o que ele disse sobre essa moça.

— Naturalmente, caro rapaz, naturalmente. Está por aí em algum lugar. Fiz algumas anotações no verso dela, lembro. Ele falava muito bem de Verônica, se me lembro bem; disse que era terrivelmente viva. A mim me parece uma moça encantadora... bem encantadora. Muito corajosa pela maneira como fez tão pouco barulho sobre a perda de sua bagagem. A maioria das pequenas teria insistido em ser levada para Bagdá logo no dia seguinte para comprar um novo sortimento. Isso é o que eu chamo de uma pequena com espírito esportivo. Por falar nisso, como foi que ela perdeu a bagagem?

— Foi cloroformizada, raptada e tida como prisioneira numa casa nativa — disse Richard impassivelmente.

— Nossa, nossa, sim, você me contou isso. Lembro agora. Tudo extremamente inverossímil. Isso me lembra... que será que isso me lembra?... Ah, sim, Elizabeth Canning, naturalmente. Você lembra que ela apareceu com uma história extremamente inverossímil depois de ter estado desaparecida por quinze dias? Conflito de evidência muito interessante... sobre alguns ciganos, se este é o caso certo no qual estou pensando. E ela era uma moça tão sem graça que não parecia provável que houvesse algum homem no caso. Agora, a pequena Victoria... Verônica... eu nunca *consigo* acertar o nome... ela é notavelmente linda. É bastante provável ter um homem no caso dela.

— Ela ficaria muito melhor se não pintasse o cabelo — disse Richard secamente.

— Ela o pinta? Realmente, você é muito entendido nesses assuntos.

— Sobre a carta de Emerson, senhor...

— Naturalmente... naturalmente. Não tenho ideia de onde a coloquei. Mas procure onde quiser... Eu, de qualquer forma, estou ansioso por encontrá-la por causa daquelas notas que tomei no verso dela... e um esboço daquele emaranhado de arame enrolado.

Capítulo 20

Na tarde seguinte, o dr. Pauncefoot Jones proferiu uma exclamação de desgosto quando o som de um carro chegou fracamente aos seus ouvidos. Logo localizou-o serpenteando pelo deserto em direção ao *Tell*.

— Visitantes — disse venenosamente. — No pior momento possível, também. Quero supervisionar a plastificação daquela roseta pintada no canto nordeste. Decerto são alguns idiotas vindo de Bagdá com um monte de fofocas sociais e esperando visitar todas as escavações.

— É onde Victoria pode ser útil — disse Richard. — Você está ouvindo, Victoria? É como realizar uma excursão guiada pessoalmente.

— Eu provavelmente direi tudo errado — disse Victoria. — Ainda sou muito inexperiente, você sabe.

— Acho que você está se saindo muito bem — disse Richard, contente. — Aqueles comentários que você fez esta manhã sobre tijolos plano-convexos poderiam ter saído diretamente do livro de Delougaz.

Victoria mudou levemente de cor e resolveu parafrasear a sua erudição mais cuidadosamente. Às vezes, o olhar interrogativo pelas espessas lentes a fazia se sentir desconfortável.

— Farei o melhor que puder — disse meigamente.

— Empurramos todas as tarefas chatas para você — disse Richard.

Victoria sorriu.

Na verdade, as suas atividades, durante os últimos cinco dias, surpreenderam-na bastante. Tinha revelado chapas com água filtrada por algodão e à luz de uma lanterna escura primitiva, contendo uma vela que sempre se apagava no momento mais crucial. A mesa da câmara escura era um caixote e, para trabalhar, tinha de se agachar ou ajoelhar, a própria câmara escura sendo, como Richard tinha comentado, um modelo moderno das famosas celas medievais. Haveria mais amenidades nas temporadas vindouras, conforme o dr. Pauncefoot Jones lhe assegurava, mas, no momento, cada *penny* era necessário para pagar os trabalhadores e conseguir resultados.

Os cestos de cerâmica quebrada primeiramente tinham despertado o seu escárnio (embora ela tivesse sido cuidadosa para não mostrá-lo). Todos esses pedaços quebrados de coisas rudes, para que serviam eles?

Em seguida, quando encontrava junções e as enfiava em caixas de areia, começou a ter interesse. Aprendeu a reconhecer formas e mesmo períodos. E, então, finalmente chegou a experimentar e reconstruir em sua própria mente exatamente como e para qual finalidade esses vasos tinham sido usados há uns três mil anos. Na pequena área na qual algumas casas particulares de baixa qualidade tinham sido escavadas, ela imaginava as casas como originalmente tinham existido e as pessoas que nelas tinham vivido com suas necessidades, suas posses e ocupações, suas esperanças e seus temores. Já que Victoria tinha uma vívida imaginação, um retrato surgia com bastante facilidade em sua mente. Um dia, quando um pequeno pote de barro foi achado, incrustado numa parede com uma meia dúzia de brincos de ouro nele, ela ficou enfeitiçada. Provavelmente o dote de uma filha, disse Richard Baker, sorrindo.

Recipientes cheios de cereais, brincos de ouro guardados para um dote, agulhas de osso, moinhos de mão, almofarizes, pequenas figuras e amuletos. Toda a vida e esperanças e temores do dia a dia de uma comunidade de gente simples, sem importância.

— É isso que acho tão excitante — disse Victoria a Richard. — Você vê, eu achava que arqueologia era apenas palácios e túmulos reais. Reis na Babilônia — acrescentou ela com um pequeno sorriso estranho. — Mas o que gosto tanto a respeito de tudo isso é que são a gente comum de todo dia... gente como eu. Meu santo Antônio que encontra as coisas para mim quando as perco... e um porquinho de porcelana de sorte que tenho... e uma bacia de mistura muito bonita, azul por dentro e branca por fora, na qual eu costumava fazer bolos. Quebrou-se e a nova que comprei não era nem um pouco parecida. Posso compreender como essa gente consertava suas cuias ou recipientes favoritos tão cuidadosamente com betume. A vida na realidade é sempre a mesma, não é?... Naquele tempo ou hoje.

Ela estava pensando nessas coisas enquanto observava os visitantes subindo pelo lado do *Tell*. Richard foi cumprimentá-los, Victoria o seguiu.

Havia dois franceses, interessados em arqueologia, que estavam fazendo uma excursão pela Síria e pelo Iraque. Depois dos cumprimentos, Victoria os levou pelas escavações, recitando à maneira de papagaio o que estava acontecendo, mas sendo incapaz de resistir, sendo Victoria, à tentação de acrescentar diversos embelezamentos próprios, apenas, como dizia para si mesma, para tornar as coisas mais excitantes.

Ela notou que o segundo homem tinha uma cor péssima e se arrastava por ali sem muito interesse. Logo disse que, se mademoiselle o desculpasse, ele voltaria para a casa. Ele não se sentia bem desde cedo pela manhã, e o sol o estava fazendo se sentir ainda pior.

Ele partiu na direção da Casa da Expedição e o outro, em tons adequadamente baixos, explicou que, infelizmente, era o estômago dele. A Barriga de Bagdá, era assim que chamavam a isso, não era? Ele, na realidade, não devia ter saído naquele dia.

Quando concluíram a excursão, o francês ficou conversando com Victoria; finalmente foi dado o toque de reunir, e o dr. Pauncefoot Jones, com ar determinado de hospitalidade, sugeriu que os hóspedes tomassem chá antes de partirem.

Porém, o francês hesitou. Deveriam partir antes que escurecesse, ou nunca encontrariam o caminho. Richard Baker disse que isso estava bem certo. O amigo doente foi reconduzido da Casa, e o carro afastou-se na velocidade máxima.

— Suponho que isso seja apenas o começo — grunhiu o dr. Pauncefoot Jones. — Vamos ter visitantes todo dia agora.

Tomou um grande pedaço de pão árabe e cobriu-o generosamente com geleia de abricó.

Richard foi para o seu quarto depois do chá. Tinha cartas para responder e outras para escrever em preparação para a ida a Bagdá no dia seguinte.

Subitamente franziu a testa. Não sendo homem de especial organização no aspecto exterior, tinha no entanto uma maneira de arrumar suas roupas e seus papéis que nunca variava. Agora via imediatamente que todas as gavetas tinham sido mexidas. Não podiam ter sido os criados, disso ele tinha certeza. Devia ter sido, então, o visitante doente que, tendo achado um pretexto para ir à Casa, tinha friamente esquadrinhado seus pertences. Nada estava faltando, ele assegurou-se disso. Seu dinheiro não tinha sido tocado. O que, então, tinham estado procurando? Seu rosto tornou-se sério quando pensava nas implicações.

Foi à ala das antiguidades e olhou para a gaveta que continha os selos e as impressões dos selos. Deu um sorriso feroz. Nada tinha sido tocado ou retirado. Foi para a sala de estar. O dr. Pauncefoot estava no pátio com o capataz. Somente Victoria estava ali, enroscada com um livro.

Richard disse sem preâmbulos:

— Alguém esteve revistando o meu quarto.

— Mas por quê? E quem?

— Não foi você?

— Eu? — Victoria estava indignada. — Claro que não. Por que deveria eu xeretar as suas coisas?

Lançou-lhe um olhar duro. Em seguida, disse:

— Deve ter sido aquele maldito estranho... aquele que se fingiu de doente e veio para a Casa.

— Roubou alguma coisa?

— Não — disse Richard. — Nada foi tirado.

— Mas por que então alguém iria...

Richard atalhou para dizer:

— Pensei que você poderia saber.

— Eu?

— Bem, pelo que você mesmo conta, coisas bastante estranhas têm lhe acontecido.

— Oh, isso... sim. — Victoria parecia assaz espantada. Disse lentamente: — Mas não sei por que iriam revistar o seu quarto. Você nada tem que ver com...

— Com o quê?

Victoria não respondeu imediatamente. Parecia perdida em pensamentos.

— Sinto muito — disse por fim. — O que você disse? Eu não estava escutando.

Richard não repetiu a pergunta. Em lugar disso perguntou:

— O que você está lendo?

Victoria fez uma ligeira careta:

— Não se tem grande escolha de ficção leve aqui. *Conto de duas cidades, Orgulho e preconceito* e *O moinho no Floss*. Eu estava lendo o *Conto de duas cidades*.

— Nunca leu antes?

— Nunca, sempre pensei que Dickens fosse tedioso.

— Que ideia!

— Estou achando bastante emocionante.

— Em que parte você está? — Olhou por sobre seu ombro e leu: "E as tricoteiras contaram um."

— Eu acho que ela é muito assustadora — disse Victoria.

— Madame Defarge? Sim, uma boa personagem. Embora eu sempre tenha duvidado de que se possa manter um registro de nomes tricotando. Mas, naturalmente, eu não sou tricoteiro.

— Oh, eu acho que seria possível — disse Victoria, pensando no assunto. — Reto e enrolado... e pontos fantasia... e o ponto errado com intervalos. Sim, poderia ser feito... Camuflado, naturalmente, de modo que pareceria obra de alguém bastante ruim em tricô e que cometia enganos...

Subitamente, com a intensidade de um relâmpago, duas coisas se juntaram em sua mente e afetaram-na com a força duma explosão. Um nome... e uma memória visual. O homem com a echarpe tricotada à mão, vermelha e esfarrapada, agarrada em suas mãos, a echarpe que tinha apressadamente apanhado mais tarde e jogado numa gaveta. E junto a isso, um nome. *Defarge,* não Lefarge, *Defarge*, Madame Defarge.

Foi chamada a si quando Richard lhe perguntou cortesmente:

— Está acontecendo alguma coisa?

— Não... não, isto é, acabei de pensar em algo.

— Estou vendo. — Richard levantou as sobrancelhas em seu modo mais pedante.

"Amanhã", pensava Victoria, "eles iriam todos a Bagdá". Amanhã a espera dela estaria terminada. Por mais de uma semana tinha tido segurança, paz, tempo para reorganizar-se. E tinha se divertido nesse tempo, tinha se divertido enormemente. "Talvez eu seja covarde", pensou Victoria, "talvez seja isso". Ela tinha falado alegremente sobre aventura, mas não tinha gostado muito quando realmente veio. Tinha odiado aquela luta contra o clorofórmio e a lenta sufocação, e tinha ficado assustada, terrivelmente assustada naquele aposento superior, quando o árabe esfarrapado tinha dito "*bukra*".

E agora tinha de voltar a tudo isso. Porque ela era empregada do sr. Dakin e paga pelo sr. Dakin e tinha de merecer seu pagamento e apresentar uma fachada corajosa! Talvez tivesse mesmo de voltar ao Ramo de Oliveira. Tremeu um pouco quando pensou no dr. Rathbone e naquele seu olhar escuro e perscrutador. Ele a tinha prevenido...

Mas talvez não precisasse voltar. Talvez o sr. Dakin dissesse que era melhor não voltar, agora que sabiam a respeito dela. Mas ela precisava voltar e apanhar suas coisas, porque, jogada desatentamente em sua mala, estava a echarpe vermelha tricotada... Ela havia empacotado tudo em malas quando saiu para Basrah. Uma vez que tivesse colocado aquela echarpe nas mãos do sr. Dakin, talvez a sua tarefa estivesse cumprida. Ele talvez lhe dissesse, como nos filmes:

— Oh, bom trabalho, Victoria.

Levantou o olhar e encontrou Richard Baker observando-a.

— Aliás — disse ele. — Você poderá apanhar seu passaporte amanhã?

— Meu passaporte?

Victoria pensou sobre a situação. Era característico da parte dela ainda não ter definido seu plano de ação no que se referia à Expedição. Desde que a verdadeira Verônica (ou Venetia) estaria em breve chegando da Inglaterra, uma retirada em boa ordem era necessária. Mas, se ela meramente desapareceria ou confessaria a sua decepção com desculpas adequadas, ou seja lá o que pretendesse fazer, isso ainda não tinha se apresentado como um problema a ser resolvido. Victoria estava sempre disposta a adotar a atitude à moda de Micawber, e considerar que alguma coisa apareceria.

— Bem — disse ela contemporizando. — Não tenho certeza.

— É preciso, sabe, para a polícia deste distrito — explicou Richard. — Eles tomam nota do seu número, nome, idade, sinais especiais etc., todos os *et ceteras*. Como não temos o passaporte, devemos, pelo menos, mandar seu nome e descrição para eles. Por falar nisso, qual é o seu último nome? Eu sempre a chamei de Victoria.

Victoria recompôs-se valentemente.

— Ora, vamos — disse ela. — Você sabe meu último nome tão bem quanto eu.

— Isso não é bem verdade — disse Richard. Seu sorriso curvou-se para cima com uma indicação de crueldade. — Eu sei seu último nome. Acho que é você que não sabe.

Por trás das lentes, os olhos a espreitavam.

— Claro que sei meu próprio nome — retrucou Victoria.

— Então vou desafiá-la a dizê-lo agora.

Sua voz repentinamente se tornou dura e lacônica.

— Não adianta mentir — disse ele. — O jogo está terminando. Você tem sido muito esperta a respeito de tudo. Você tem procurado ler sobre o seu assunto, tem dado demonstrações reveladoras de sabedoria e... mas é o tipo de impostura que não se pode aguentar por muito tempo. Tenho feito armadilhas para você, e você caiu nelas. Tenho citado trechos de completas bobagens, e você os tem aceitado — pausou. — Você não é Venetia Savile. Quem é você?

— Eu lhe contei na primeira vez em que nos encontramos — disse Victoria. — Sou Victoria Jones.

— A sobrinha do dr. Pauncefoot Jones?

— Não sou sobrinha dele... mas meu nome é Jones.

— Você me contou um monte de outras coisas.

— Sim, contei. E era tudo verdade! Mas eu pude ver que não acreditava em mim. E isso me deixou furiosa, porque, embora eu conte mentiras algumas vezes... na realidade bem frequentemente... o que tinha acabado de dizer a você não era mentira. E, assim, apenas para me tornar mais convincente, eu disse que meu nome era Pauncefoot Jones... disse isso antes e sempre tem sido muito bem aceito. Como poderia saber que você estava vindo justamente para este lugar?

— Deve ter sido um ligeiro choque para você — disse Richard ferozmente. — Você aguentou muito bem, fresca como um pepino.

— Não, por dentro — disse Victoria — eu estava absolutamente trêmula. Mas senti que, se esperasse para explicar quando chegasse aqui... bem, de qualquer forma eu estaria segura.

— Segura? — ele pensou sobre a palavra. — Olhe aqui, Victoria, aquela lengalenga incrível que você me contou sobre ser cloroformizada era realmente verdade?

— Claro que era verdade! Você não vê, se eu quisesse inventar uma história poderia inventar uma muito melhor e contá-la ainda melhor!

— Conhecendo-a um pouquinho melhor agora, posso ver o peso que isso tem! Mas você precisa concordar que, à primeira vista, a história era completamente inverossímil.

— Mas você está disposto a pensar agora que é possível. Por quê?

Richard disse lentamente:

— Porque, se você, como diz, estava envolvida na morte de Carmichael... Bem, então pode ser verdade.

— Foi com isso que tudo começou — disse Victoria.

— É melhor que você me conte sobre isso.

Victoria fixou-o muito duramente.

— Estou pensando — disse ela — se posso confiar em você.

— Você está invertendo as coisas! Você se dá conta de que tenho tido graves suspeitas de que você se plantou aqui com um nome falso para conseguir informações de mim? E talvez seja isso o que você está fazendo.

— Quer dizer que você sabe algo sobre Carmichael que eles gostariam de saber?

— Quem exatamente são eles?

— Terei de lhe contar tudo sobre isso — disse Victoria. — Não há outro meio... e, se você for um deles, então você já sabe de tudo, de modo que não tem importância.

Contou-lhe da noite da morte de Carmichael, de sua entrevista com o sr. Dakin, de sua viagem a Basrah, seu emprego no Ramo de Oliveira, da hostilidade de Catarina, do dr. Rathbone e seu aviso e do resultado final, incluindo desta vez o enigma do cabelo tingido. As únicas coisas que deixou de mencionar foram a echarpe vermelha e Madame Defarge.

— Dr. Rathbone? — Richard agarrou o detalhe. — Você acha que ele está metido nisso? Por trás disso? Mas, minha cara pequena, ele é um homem muito importante. É conhecido no mundo todo. Contribuições têm vindo de todas as partes do globo para seus projetos.

— E não era de se esperar que ele fosse tudo isso? — perguntou Victoria.

— Eu sempre o considerei um idiota — disse Richard pensativamente.

— E isso também é muito boa camuflagem.

— Sim, sim... creio que é. Quem era o Lefarge sobre quem me perguntou?

— Apenas um outro nome — disse Victoria. — Há também Anna Scheele — disse ela.

— Anna Scheele? Não, nunca ouvi falar dela.

— É importante — disse Victoria. — Mas não sei exatamente como nem por quê. Está tudo muito misturado.

— Diga-me apenas de novo — disse Richard. — Quem é o homem que a fez começar tudo isso?

— Edward... Oh, você quer dizer o sr. Dakin. Está trabalhando com petróleo, penso eu.

— Ele é um camarada curvado, cansado, de aspecto extremamente vago?

— Sim, mas na realidade ele não é... vago, quero dizer.

— Ele não bebe?

— As pessoas dizem isso, mas eu não acredito.

Richard recostou-se e olhou-a:

— Phillips Oppenheim, William Le Queux e diversos imitadores distintos desde então? Será isso real? Você é real? Será você a heroína perseguida ou a malvada aventureira?

Victoria disse de maneira prática:

— A grande questão é: o que vamos dizer ao dr. Pauncefoot Jones sobre mim?

— Nada — disse Richard. — Na realidade não vai ser necessário.

Capítulo 21

Eles partiram cedo para Bagdá. Victoria estava estranhamente desanimada. Quase sentiu um nó na garganta quando olhou para trás, para a Casa da Expedição. No entanto, o desconforto agudo devido aos solavancos malucos que dava o caminhão eficientemente distraíram a sua mente de tudo que não fosse a tortura do momento. Parecia estranho viajar ao longo de uma assim chamada "estrada" novamente, passando por burros e encontrando caminhões empoeirados. Levou cerca de três horas até que chegassem aos arredores de Bagdá. O caminhão despejou-os no hotel Tio e seguiu com o cozinheiro e o motorista para fazerem todas as compras necessárias. Um grande maço de cartas estava à espera do dr. Pauncefoot Jones e Richard. Marcus apareceu repentinamente, maciço e sorridente, e cumprimentou Victoria com a sua radiância amistosa costumeira.

— Ah — disse ele —, faz muito tempo que não a vejo. Você não vem ao meu hotel há uma, duas semanas. Por quê? Você almoça aqui hoje, tem tudo o que quer? Os franguinhos? O grande bife? Faltam apenas o arroz e o peru recheado com condimentos especiais, pois para prepará-los é preciso que você me avise com um dia de antecedência.

Parecia claro que, até onde as coisas se relacionavam com o hotel Tio, o rapto de Victoria não tinha sido notado. Possivelmente Edward, a conselho do sr. Dakin, não tinha ido à polícia.

— O sr. Dakin está em Bagdá, você sabe, Marcus? — perguntou ela.

— O sr. Dakin... ah sim, homem muito bom... claro, é um amigo seu. Ele esteve aqui ontem... não... anteontem. E o capitão Crosbie, conhece-o? Um amigo do sr. Dakin. Ele chega hoje de Karmanshah.

— Sabe onde fica o escritório do sr. Dakin?

— Claro que sei. Todo o mundo conhece a Companhia de Petróleo Iraquiana.

— Bem, quero ir lá agora. Num táxi. Mas eu quero estar segura de que o táxi saberá aonde me levar.

— Eu mesmo digo a ele — disse Marcus obsequiosamente.

Acompanhou-a até a ponta do corredor e gritou da sua costumeira forma violenta. Um servente espantado chegou apressado. Marcus ordenou-lhe que conseguisse um táxi. Victoria foi acompanhada ao táxi, e Marcus falou com o motorista. Em seguida, deu um passo atrás e acenou com a mão.

— E quero um quarto — disse Victoria. — Posso conseguir um?

— Sim, sim. Eu lhe dou um quarto maravilhoso e mando fazer o grande bife... e hoje eu tenho... muito especial... caviar. E, antes disso, vamos tomar um pequeno trago.

— Seria ótimo — disse Victoria. — Oh, Marcus, você pode me emprestar algum dinheiro?

— Claro, meu bem. Aqui está. Tire quanto quiser.

O táxi partiu com uma buzinada violenta, e Victoria caiu para trás sobre o assento, agarrada numa profusão de moedas e notas.

Cinco minutos mais tarde, entrava nos escritórios da Companhia de Petróleo Iraquiana e perguntava pelo sr. Dakin.

O sr. Dakin levantou o olhar da escrivaninha em que estava sentado quando Victoria entrou. Levantou-se e apertou as mãos dela de uma maneira formal.

— Srta... srta. Jones, não é? Traga café, Abdullah.

Quando a porta à prova de som se fechou atrás do empregado, ele disse calmamente:

— Na verdade, não deveria vir aqui, sabe?

— Desta vez foi preciso — disse Victoria. — Há alguma coisa que tenho de lhe contar imediatamente... antes que mais alguma coisa me aconteça.

— Aconteça a você? Algo aconteceu a você?

— Não sabe? — perguntou Victoria. — Edward não lhe contou?

— Até onde sei, você ainda está trabalhando no Ramo de Oliveira. Ninguém me contou coisa alguma.

— Catarina — exclamou Victoria.

— Como, por favor?

— Aquela rata da Catarina! Aposto que encheu Edward com alguma história e o palerma acreditou nela.

— Bem, deixe ouvir a respeito — disse o sr. Dakin. — Hã... se posso dizer isso — seus olhos foram discretamente para a cabeça loura de Victoria —, eu a prefiro morena.

— Isso é apenas parte da história — disse Victoria.

Houve uma batida na porta, e o mensageiro entrou com duas pequenas xícaras de café. Quando ele foi embora, Dakin disse:

— Agora fique descansada e me conte tudo. Não podem nos escutar aqui.

Victoria mergulhou na história de suas aventuras. Como sempre, quando estava falando com Dakin, ela conseguiu ser tanto coerente quanto concisa. Terminou a sua história com um relato da echarpe vermelha que Carmichael tinha deixado cair e a associação com Madame Defarge.

Em seguida, olhou ansiosamente para Dakin.

Ele tinha lhe parecido, quando entrara, estar ainda mais curvado e cansado. Agora viu um novo brilho em seus olhos.

— Eu deveria ler Dickens com mais frequência — disse ele.

— Então acha que estou certa? Acha que foi Defarge que ele disse, e acha que há alguma mensagem tricotada na echarpe?

— Acho — disse Dakin — que esta é a primeira oportunidade real que tivemos... e temos de agradecer a você por isso. Mas a coisa importante é a echarpe. Onde está?

— Com todo o resto das minhas coisas. Eu a enfiei numa gaveta naquela noite e, quando empacotei, lembro-me de ter feito uma trouxa de tudo sem selecionar ou separar coisa alguma.

— E você nunca chegou a mencionar a quem quer que seja *mesmo*... que aquela echarpe pertencia a Carmichael?

— Não, porque tinha esquecido inteiramente. E a enfiei numa mala com algumas outras coisas quando fui para Basrah e nunca mais abri a mala desde então.

— Então deve estar em ordem. Mesmo se tiverem revistado as suas coisas, não terão dado importância alguma a uma echarpe de lã velha e suja... a não ser que lhes tivessem chamado a atenção para isso, o que, até onde posso ver, é impossível. Tudo que temos de fazer agora é mandar buscar as suas coisas e trazê-las para você... Aliás, você tem algum lugar para ficar?

— Pedi um quarto no Tio.

Dakin assentiu.

— É o melhor lugar para você.

— Tenho de... você quer que eu... volte para o Ramo de Oliveira?

Dakin olhou para ela, interessado.

— Está com medo?

Victoria avançou o queixo.

— Não — disse ela com desafio —, eu vou, se você quiser.

— Não acho que seja necessário... ou mesmo inteligente. Seja como for que tenham descoberto, alguém ali farejou as suas atividades. Sendo assim, você não seria capaz de descobrir mais nada, de modo que será melhor ficar ao largo.

Ele sorriu.

— De outra forma, você pode estar ruiva da próxima vez que a encontrar.

— Isso é o que quero saber mais que tudo — afirmou Victoria. — Por que tingiram meu cabelo? Tenho pensado e pensado e não posso ver qualquer razão para isso. Você pode?

— Apenas a razão um tanto desagradável de que seu corpo morto seria menos fácil de identificar.

— Mas se eles queriam que eu fosse um cadáver, porque não me mataram logo?

— Essa é uma pergunta muito interessante, Victoria. É a pergunta que eu gostaria de ver respondida antes de todas.

— E não tem nenhuma ideia?

— Não tenho nenhuma pista — disse o sr. Dakin com um sorriso apagado.

— Falando de pistas — disse Victoria —, lembra que eu disse que havia alguma coisa sobre Sir Rupert Crofton Lee que não parecia certa, naquela manhã, no Tio?

— Sim.

— Não o conhecia pessoalmente, não é?

— Não, eu não o tinha encontrado antes.

— Achei que não. Porque aquele não era Sir Rupert Crofton Lee.

E mais uma vez ela mergulhou em narrativa animada, começando com o furúnculo nascente nas costas do pescoço de Sir Rupert.

— Então foi assim que foi feito — disse Dakin. — Não podia conceber como Carmichael podia estar suficientemente fora de guarda para ser morto naquela noite. Ele chegou seguramente a Crofton Lee... e Crofton Lee o esfaqueou, mas ele conseguiu escapar e irrompeu no seu quarto antes de desmoronar. E ficou agarrado à echarpe... mortalmente agarrado, literalmente.

— Acha que é porque eu vinha lhe contar isso que me raptaram? Mas ninguém sabia, exceto Edward.

— Acho que eles sentiram que tinham de tirá-la de cena rapidamente. Você estava tropeçando com coisas demais que estavam acontecendo no Ramo de Oliveira.

— O dr. Rathbone me preveniu — disse Victoria. — Era mais uma ameaça que um aviso. Acho que ele se deu conta de que eu não era o que fingia ser.

— Rathbone — disse Dakin secamente — não é trouxa.

— Estou contente por não ter de voltar lá — disse Victoria. — Fingi ser corajosa agora mesmo... mas, na realidade, estou me pelando de medo. Só que, se eu não for ao Ramo de Oliveira, como é que posso encontrar Edward?

Dakin sorriu.

— Se Maomé não vai à montanha, a montanha vai a Maomé. Escreva-lhe uma nota agora. Apenas diga que está no Tio e peça-lhe para apanhar suas roupas e pertences e levá-los para lá. Vou consultar o dr. Rathbone esta manhã sobre uma de suas noitadas de clube. Para mim, será fácil passar uma nota ao seu secretário... assim não haverá perigo da sua inimiga Catarina fazê-la desaparecer. Quanto a você, volte para o Tio e fique lá... e, Victoria...

— Sim?

— Você está numa embrulhada... de alguma espécie. Faça o melhor que puder por si mesma. Tanto quanto possível, você será vigiada, mas seus adversários são extremamente audaciosos e infelizmente você sabe um bocado. Uma vez que a sua bagagem esteja no hotel Tio, suas obrigações para comigo terminaram. Compreenda isso.

— Volto diretamente para o Tio agora — disse Victoria. — Pelo menos vou comprar algum pó facial, batom e creme evanescente no caminho. Afinal de contas...

— Afinal de contas — disse o sr. Dakin —, não pode encontrar o namorado completamente desarmada.

— Não me importava tanto com Richard Baker, mas gostaria que ele soubesse que posso parecer bastante bem, quando tento — disse Victoria. — Mas *Edward*...

Capítulo 22

Com o cabelo louro cuidadosamente arrumado, o nariz empoado e os lábios com pintura nova, Victoria estava sentada no terraço do Tio, mais uma vez no papel de uma Julieta moderna esperando pelo Romeu.

E, no devido tempo, Romeu veio. Apareceu no gramado, olhando para cá e para lá.

— Edward — disse Victoria.

Edward olhou para cima.

— Oh, aí está você. Victoria...

— Suba aqui.

— Já vou.

Um momento depois, veio para o balcão, que estava deserto.

— É mais calmo aqui em cima — disse Victoria. — Logo desceremos e Marcus nos dará bebidas.

Edward a estava olhando perplexamente.

— Diga, Victoria, o que você fez com o seu cabelo?

Victoria soltou um suspiro exasperado.

— Se alguém mais mencionar cabelos para mim, realmente levará uma pancada na cabeça!

— Acho que gostava mais dele como era antes — disse Edward.

— Diga isso a Catarina!

— Catarina? O que ela tem a ver com isso?

— Tudo — disse Victoria. — Você me disse para ficar camaradinha dela e foi o que fiz, e acho que você não faz a mínima ideia de onde isso me meteu!

— Onde foi que você esteve todo esse tempo, Victoria? Estava ficando bastante preocupado.

— Oh, sim, estava, não é? Onde você pensa que estive?

— Bem, Catarina me deu a sua mensagem. Disse que você lhe contou que tinha de ir a Mossul subitamente. Era algo muito importante e eu teria notícias suas no devido tempo.

— E você acreditou nisso? — perguntou Victoria numa voz quase que condoída.

— Pensei que você tinha topado com a pista de alguma coisa. Naturalmente você não poderia dizer muito a Catarina...

— Não lhe ocorreu que Catarina estava mentindo, e que eu tinha levado uma pancada na cabeça?

— O quê? — Edward fixou-a.

— Dopada, cloroformizada... morta de fome...

Edward passou um olhar perscrutador em volta.

— Nossa! Nunca imaginei... olhe, não gosto de estar falando aqui. Todas essas janelas... Não podemos ir ao seu quarto?

— Muito bem. Você trouxe a minha bagagem?

— Sim, descarreguei tudo com o porteiro.

— Porque quando alguém não muda de vestido há duas semanas...

— Victoria, que está acontecendo? Eu sei... tenho carro aqui. Vamos para Devonshire. Você nunca esteve lá, não é?

— Devonshire? — Victoria olhou, surpresa.

— Oh, é apenas um nome para um lugar não longe de Bagdá. É bastante agradável nesta época do ano. Vamos. Há anos que não fico a sós com você.

— Desde a Babilônia. Mas que dirão o dr. Rathbone e o Ramo de Oliveira?

— Ao diabo o dr. Rathbone. De qualquer jeito, estou cheio daquele velho asno.

Correram escada abaixo e saíram, indo até onde o carro de Edward estava estacionado. Edward dirigiu para o sul, atravessando Bagdá por uma avenida comprida. Em seguida, saiu da avenida; saltitavam e esgueiravam-se por entre palmeiras e sobre pontes de irrigação. Finalmente, com estranha surpresa, chegaram a um bosque de arbustos rodeado e atravessado por canais de irrigação. As árvores do bosque, em sua maioria de amêndoas e abricó, estavam justamente começando a florescer. Era um lugar idílico. Atrás do bosque, à pequena distância, estava o Tigre.

Saíram do carro e andaram juntos pelas árvores em flor.

— Isto aqui é lindo — disse Victoria suspirando profundamente. — É como estar de volta à Inglaterra na primavera.

O ar estava suave e quente. Logo sentaram-se sobre um tronco de árvore caída com flores cor-de-rosa dependuradas sobre suas cabeças.

— Agora, querida — disse Edward —, conte-me o que está acontecendo com você. Eu me senti terrivelmente mal.

— Verdade? — Ela sorriu, sonhadora.

Em seguida, contou-lhe. Da cabeleireira. Do cheiro de clorofórmio e da sua luta. De acordar dopada e doente. Do que ela tinha escapado de seu encontro afortunado com Richard Baker, de como tinha alegado ser Victoria Pauncefoot Jones em seu caminho para a escavação e de como quase que miraculosamente havia mantido o papel de uma estudante de arqueologia chegada da Inglaterra.

Nesse ponto, Edward berrou de rir.

— Você é maravilhosa, Victoria! As coisas em que você pensa... e inventa.

— Eu sei — disse Victoria. — Meus tios: o dr. Pauncefoot Jones e, antes dele... o bispo.

E, nisso, ela subitamente lembrou o que era que tinha desejado perguntar a Edward em Basrah, quando a sra. Clayton os tinha interrompido chamando-os para as bebidas.

— Eu queria lhe perguntar antes — disse ela. — Como você sabia a respeito do bispo?

Subitamente, sentiu enrijecer a mão que segurava a sua. Ele disse rapidamente, rapidamente demais:

— Ora, você me contou, não foi?

Victoria olhou para ele. "Estranho", pensava depois, "que um pequeno deslize infantil pudesse ter provocado o que provocou".

Pois ele foi tomado completamente de surpresa. Não tinha história preparada. Sua face estava subitamente indefesa e sem máscara.

E, ao olhar para ele, tudo se movimentou, mudou de lugar e firmou-se num desenho, exatamente como um calidoscópio, e ela viu a verdade. Talvez não fosse realmente súbito. Talvez no seu subconsciente ressoasse esta pergunta: como Edward sabia sobre o bispo? Tinha estado amofinando e perturbando e tinha chegado lentamente à resposta única, inevitável... Edward não soubera sobre o bispo de Llangow por intermédio dela, e as outras únicas pessoas pelas quais podia ter sabido teriam sido o sr. ou a sra. Hamilton Clipp. Mas eles não poderiam ter visto Edward desde a sua chegada a Bagdá, pois Edward tinha então estado em Basrah, de modo que tinha de ter sabido deles antes mesmo de ter deixado a Inglaterra. Devia ter sabido então o tempo todo que Victoria estava vindo com eles, e toda a coincidência maravilhosa não era, no final das contas, uma coincidência. Era planejada e intencional...

E, quando olhou a face desmascarada de Edward, ela subitamente soube o que Carmichael tinha querido dizer com Lúcifer. Sabia o que tinha visto naquele dia, quando olhava ao longo do passeio para o jardim do consulado. Ele tinha visto aquela face jovem e bonita que ela estava olhando agora, pois era uma face bonita...

Lúcifer, Filho da Manhã, como caíste?

Não o dr. Rathbone: Edward! Edward, desempenhando um papel menos importante, o papel de um secretário, mas controlando e planejando e dirigindo, usando Rathbone como uma figura de proa, e Rathbone avisando-a para ir embora enquanto podia...

Quando olhou para este rosto lindamente mau, todo o seu amor adolescente e estúpido desapareceu, e ela soube que o que sentira por Edward nunca fora amor. Fora o mesmo sentimento que tinha experimentado alguns anos antes por Humphrey Bogart e, mais tarde, pelo duque de Edimburgo. Tinha sido atração ilusória. E Edward nunca a amara. Tinha exercido seu encanto e seu feitiço deliberadamente. Tinha a apanhado naquele dia, usando seu encanto tão facilmente, tão naturalmente que ela caíra por ele sem lutar. Fora uma trouxa.

Era extraordinário como tantas coisas podiam relampejar pela sua mente em apenas alguns segundos. Não era preciso seguir os pensamentos até o fim. Eles simplesmente vinham. Conhecimento integral e instantâneo. Talvez porque, realmente, no íntimo, ela soubesse o tempo todo...

E, ao mesmo tempo, algum instinto de autopreservação, rápido como os processos mentais de Victoria, conservou seu rosto numa expressão de admiração boba, impensante. Pois ela sabia, instintivamente, que estava em grande perigo. Havia apenas uma coisa que poderia salvá-la, apenas uma carta que poderia jogar. Ela apressou-se a jogá-la.

— Você sabia o tempo todo! — disse ela. — Você sabia que eu estava vindo para cá. Você deve ter arrumado isso. Oh, Edward, você é maravilhoso!

Seu rosto, aquele rosto plástico, impressionável, mostrava apenas uma emoção, uma adoração quase saturada. E ela viu a reação, o sorriso levemente escarnecedor, o alívio. Ela podia quase sentir Edward dizer para si mesmo: "Pequena estúpida! Ela é capaz de engolir tudo! Posso fazer com ela o que quiser."

— Mas como foi que você arranjou isso? — perguntou. — Você deve ser muito poderoso. Você deve ser bem diferente daquilo que finge ser. Você... é como disse o outro dia... você é um rei na Babilônia.

Ela viu o orgulho que iluminava aquele rosto. Viu o poder, a força, a beleza e a crueldade que tinham estado disfarçados por trás da fachada de um jovem modesto e amável.

"E eu sou apenas uma escrava cristã", pensou Victoria. Disse rápida e ansiosamente, como toque artístico final (e quanto isso custou ao seu orgulho nunca ninguém saberá):

— Mas você me ama, não é?

Seu escárnio dificilmente poderia ser escondido agora. Essa pequena boba, todas essas mulheres trouxas! Tão fácil fazê-las pensar que eram amadas e importantes! Não tinham concepção da grandeza de construção de um mundo novo, apenas ganiam por amor! Eram escravas e poderiam ser usadas como escravas para favorecimento próprio.

— É claro que a amo — disse ele.

— Mas sobre o que é tudo isso? Conte-me, Edward. Explique-me.

— É um mundo novo, Victoria. Um mundo novo que se erguerá dos detritos e das cinzas do mundo antigo.

— Conte-me.

Ele contou-lhe e, a despeito de si mesma, ela quase foi arrastada, arrastada para um sonho. As velhas coisas ruins tinham que se destruir mutuamente. Aqueles velhos balofos, agarrados a seus lucros, impedindo o progresso. Aqueles estúpidos comunistas fanáticos, tentando fundar o paraíso marxista. Tinha de haver guerra total, destruição total. E, em seguida, o novo céu e a nova terra. O pequeno bando escolhido de seres superiores, os cientistas, os peritos agrícolas, os administradores, os jovens como Edward, os jovens Siegfrieds do Novo Mundo. Todos jovens, todos acreditando em seu destino como super-homens. Quando a destruição tivesse tomado seu curso, eles entrariam e assumiriam.

Era loucura, mas loucura construtiva. Era a espécie de coisa que poderia acontecer num mundo esfacelado e em desintegração.

— Mas pense — disse Victoria — em toda essa gente que será morta primeiro.

— Você não compreende — disse Edward. — Isso não tem importância.

"Não tem importância", esse era o credo de Edward. E, subitamente, por nenhuma razão, uma lembrança daquela bacia de cerâmica rude de três mil anos de idade, remendada com betume, relampejou pela mente de Victoria. Certamente, essas eram as coisas que contavam: as pequeninas coisas de cada dia, a família para quem cozinhar, as quatro paredes que circundavam a casa, uma ou duas posses conservadas com carinho. Todas as milhares de pessoas comuns na terra, tratando de seus próprios negócios e da terra, e fazendo potes e criando famílias, e chorando e rindo, e levantando-se de manhã e indo para a cama de noite. Essas eram as pessoas que importavam, não esses anjos de caras malvadas que queriam fazer um mundo novo e não se importavam em ferir os outros para fazê-lo.

E, cuidadosamente, tateando seu caminho, pois aqui em Devonshire ela sabia que a morte poderia estar muito perto, ela disse:

— Você é maravilhoso, Edward. Mas e eu? O que eu posso fazer?

— Você quer ajudar? Você acredita nisso?

Mas ela era prudente. Nenhuma conversão súbita. Isso teria sido demais.

— Eu acho que simplesmente acredito em você! — exclamou. — Qualquer coisa que você me mandar fazer, Edward, eu farei.

— Boa menina — disse ele.

— Por que você arranjou as coisas para que eu viesse para cá, para começar? Deve ter havido alguma razão.

— Naturalmente. Lembra que tirei uma fotografia sua naquele dia?

— Lembro — disse Victoria.

"Sua boba, como você ficou lisonjeada, como você sorriu bobamente!", pensou ela consigo mesma.

— Eu tinha ficado impressionado com seu perfil... por sua semelhança com alguém. Tirei aquela fotografia para me assegurar.

— Com quem me pareço?

— Uma mulher que tem nos dado um bocado de aborrecimento... Anna Scheele.

— Anna Scheele — disse Victoria e olhou-o com enorme surpresa. O que quer que tivesse esperado, não fora aquilo. — Você quer dizer... ela se parece comigo?

— Bem notavelmente, vista de perfil. As feições são quase exatamente as mesmas. E há uma coisa bem extraordinária: você tem uma marcazinha bem pequena de uma cicatriz no seu lábio superior, do lado esquerdo.

— Sei. Foi quando caí de um cavalo de lata quando era criança. Tinha uma orelha pontuda e cortou bastante fundo. Não aparece muito, não com a maquiagem.

— Anna Scheele tem uma marca exatamente no mesmo lugar. Esse foi um ponto extremamente valioso. Vocês são iguais em altura e constituição... ela é uns quatro ou cinco anos mais velha que você. A real diferença é o cabelo, você é morena, e ela é loura. E seu tipo de penteado é bem diferente. Seus olhos são de um azul mais profundo, mas isso não importaria muito com lentes coloridas.

— E por isso você queria que eu viesse para Bagdá? Porque me parecia com ela?

— Sim, pensei que a semelhança poderia... vir a calhar.

— Assim você arrumou a coisa toda... Os Clipp... quem são os Clipp?

— Eles não são importantes... apenas fazem o que lhes mandam.

Algo no tom de voz de Edward mandou um leve temor espinha abaixo em Victoria. Era como se ele tivesse dito com desapego desumano: "Estão sob obediência."

Havia um sabor religioso acerca desse projeto maluco. "Edward", pensava ela, "é seu próprio Deus. Isso é que é tão assustador".

Em voz alta disse:

— Você me contou que Anna Scheele era a chefe, a abelha-rainha no seu espetáculo.

— Eu tinha de lhe contar algo para tirá-la da pista. Você já sabia demais.

"E se eu não me parecesse com Anna Scheele, isso teria sido o meu fim", pensou Victoria.

Disse, porém:

— Quem é ela realmente?

— É a secretária confidencial de Otto Morganthal, o banqueiro americano e internacional. Mas isso não é só o que é. Ela é o cérebro financeiro mais notável. Temos razão para acreditar que ela está na pista de uma porção de nossas operações financeiras. Três pessoas vinham sendo perigosas para nós: Rupert Crofton Lee, Carmichael... bem, esses já foram apagados. Permanece Anna Scheele. Ela deveria chegar a Bagdá em dois dias. Nesse ínterim, ela desapareceu.

— Desapareceu? Onde?

— Em Londres. Desapareceu, aparentemente, da face do mundo.

— E ninguém sabe onde ela está?

— Dakin poderá saber.

Mas Dakin não sabia. Victoria sabia disso, embora Edward não soubesse. Então, onde estaria Anna Scheele?

Ela perguntou:

— Você realmente não tem a menor ideia?

— Nós temos uma ideia — disse Edward lentamente.

— E?

— É vital que Anna Scheele esteja aqui em Bagdá para a conferência. Essa, como você sabe, será daqui a cinco dias.

— Tão depressa assim? Eu não tinha a menor ideia.

— Temos vigiado cada entrada deste país. Ela certamente não virá aqui com seu próprio nome. E não está vindo em avião de serviço do governo. Temos os nossos meios para verificar isso. De modo que investigamos todas as reservas particulares. Há uma passagem reservada na BOAC em nome de Grete Harden. Procuramos levantar a pista de Grete Harden e não existe tal pessoa. É um nome fictício. O endereço dado é falso. A nossa ideia é de que Grete Harden é Anna Scheele.

Acrescentou:

— O avião dela fará escala em Damasco depois de amanhã.

— E depois?

Os olhos de Edward olharam subitamente para dentro dos dela.

— Isso depende de você, Victoria.

— De mim?

— Você tomará o lugar dela.

Victoria disse lentamente:

— Como Rupert Crofton Lee?

Era quase um sussurro. No curso daquela substituição, Rupert Crofton Lee tinha morrido. E, quando Victoria tomasse o lugar dela, presumivelmente Anna Scheele, ou Grete Harden, morreria... Mas mesmo que ela não concordasse, ainda assim Anna Scheele morreria.

E Edward estava esperando. E, se por algum momento Edward duvidasse da lealdade dela, então ela, Victoria, morreria; e morreria provavelmente sem a possibilidade de prevenir qualquer pessoa.

Não, ela tinha de concordar e agarrar uma oportunidade de relatar tudo ao sr. Dakin.

Ela suspirou profundamente e disse:

— Eu... eu... oh, mas Edward, eu não poderia fazê-lo. Eu seria descoberta. Eu não posso imitar uma voz americana.

— Anna Scheele praticamente não tem sotaque. Em todo caso, você estará sofrendo de laringite. Um dos melhores médicos nesta parte do mundo dirá isso.

"Eles têm gente em todo lugar", pensou Victoria.

— O que eu teria de fazer? — perguntou.

— Voar de Damasco para Bagdá como Grete Harden. Ir imediatamente para a cama. Ter licença para se levantar, dada por seu médico célebre justamente a tempo de ir à conferência. Lá, você lhes apresentará os documentos que terá levado.

Victoria perguntou:

— Os documentos reais?

— Claro que não. Nós substituiremos pela nossa versão.

— O que os documentos mostrarão?

Edward sorriu.

— Detalhes convincentes da mais estupenda conspiração comunista na América.

Victoria pensou:

"Como planejaram tudo tão bem!" Em voz alta disse:

— Você realmente acha que eu posso dar conta disso, Edward?

Agora que estava desempenhando um papel, era bastante fácil para Victoria perguntá-lo com toda a aparência de sinceridade ansiosa.

— Tenho certeza que sim. Notei que a sua interpretação de um papel lhe proporciona tanto prazer que é praticamente impossível não acreditar em você.

Victoria disse pensativamente:

— Ainda me sinto uma trouxa enorme quando penso nos Hamilton Clipp.

Ele riu de uma maneira superior.

Victoria, com seu rosto ainda uma máscara de adoração, pensou consigo mesma venenosamente: "Mas você também foi um enorme trouxa tendo deixado escapar aquilo sobre o bispo em Basrah. Se você não o tivesse feito, eu nunca teria visto através de você."

Ela falou subitamente:

— E sobre o dr. Rathbone?

— O que você quer dizer com "e sobre ele"?

— Ele é apenas uma figura de proa?

Os lábios de Edward se curvaram em divertimento cruel.

— Rathbone tem de se conformar com a orientação. Sabe o que ele tem feito todos esses anos? Espertamente apropriado-se de cerca de três quartos das contribuições que vêm de todas as partes do mundo, para seu próprio uso. É a vigarice mais esperta desde o tempo de Horatio Bottomley. Oh, sim, Rathbone está completamente em nossas mãos... nós o podemos expor a qualquer momento, e ele sabe disso.

Victoria sentiu uma súbita gratidão pelo velho da testa alta abaulada e a alma mesquinha aquisitiva. Ele podia ser um vigarista, mas tinha conhecido a piedade, tinha tentado fazê-la escapar a tempo.

— Todas as coisas trabalham em direção à nossa nova ordem — disse Edward.

Ela pensou consigo mesma: "Edward, que parece tão são, na realidade está maluco! Talvez se fique maluco quando se tenta fazer o papel de Deus. Dizem sempre que a humildade é uma virtude cristã, e agora sei por quê. Humildade é o que nos conserva sãos e nos mantém humanos..."

Edward levantou-se.

— Hora de ir andando — disse ele. — Temos de fazê-la chegar a Damasco e pôr em prática nossos planos depois de amanhã.

Victoria levantou-se com alacridade. Uma vez que estivesse longe de Devonshire, de volta a Bagdá com suas multidões, no hotel Tio, com Marcus gritando, sorrindo e lhe oferecendo um trago, a ameaça próxima e persistente de Edward seria removida. Seu papel era continuar fazendo jogo duplo, continuar a enganar Edward por uma devoção doentia, canina e contrariar secretamente os seus planos.

Ela disse:

— Você acha que o sr. Dakin sabe onde está Anna Scheele? Talvez eu possa descobrir isso. Ele poderá deixar escapar alguma pista.

— Improvável... e, de qualquer modo, você não verá o sr. Dakin.

— Ele me disse para ir conversar com ele esta noite — disse Victoria embusteiramente, com uma sensação ligeiramente gélida atacando sua espinha. — Ele achará estranho se eu não aparecer.

— Nessa altura não importa o que ele pense — contestou Edward. — Nossos planos estão feitos.

Acrescentou:

— Você não será mais vista em Bagdá.

— Mas Edward, todas as minhas coisas estão no Tio! Reservei um quarto.

A echarpe, a preciosa echarpe.

— Você não precisará das suas coisas por algum tempo. Tenho um enxoval à sua espera. Venha.

Entraram novamente no carro. Victoria pensava:

"Eu deveria ter desconfiado que Edward não seria trouxa a ponto de me deixar entrar em contato com o sr. Dakin depois de eu tê-lo descoberto. Ele acha que estou apaixonada por ele, sim, penso que tem certeza disso, mas mesmo assim não vai se arriscar."

Ela disse:

— Não haverá uma busca por mim se eu... não aparecer?

— Vamos tratar disso. Oficialmente você me dirá "até logo" na ponte e vai visitar alguns amigos na margem oeste.

— E na realidade?

— Espere e verá.

Victoria ficou sentada em silêncio quando passavam corcoveando sobre a trilha rústica e serpenteavam em redor de jardins de palmeiras e sobre as pequenas pontes de irrigação.

— Lefarge — murmurou Edward. — Gostaria de saber o que Carmichael queria dizer com isso.

Victoria sentiu um pulo de ansiedade em seu coração.

— Oh — disse ela. — Esqueci de lhe dizer. Não sei se quer dizer alguma coisa. Um M. Lefarge veio para as escavações um dia em Tell Aswad.

— O quê? — Edward quase afogou o motor em sua excitação. — Quando foi isso?

— Oh! Há cerca de uma semana. Disse que vinha de alguma escavação na Síria. De M. Parrot, poderia ser?

— Dois homens chamados André e Juvet passaram por lá enquanto você lá esteve?

— Oh, sim — disse Victoria. — Um deles estava com dor de estômago. Foi para a casa e se deitou.

— Eram dois dos nossos — disse Edward.

— Por que foram para lá? Para procurar por mim?

— Não... eu não tinha ideia de que você estava lá. Mas Richard Baker estava em Basrah ao mesmo tempo que Carmichael. Supusemos que Carmichael pudesse ter passado alguma coisa para Baker.

— Ele disse que suas coisas tinham sido revistadas. Encontraram algo?

— Não... agora pense com cuidado, Victoria. Esse homem Lefarge veio antes dos dois homens ou depois?

Victoria refletiu de maneira convincente, enquanto resolvia que movimento atribuir ao místico M. Lefarge.

— Foi... sim, foi no dia antes de os outros dois virem — disse ela.

— O que ele fez?

— Bem — respondeu Victoria. — Ele foi para a escavação com o dr. Pauncefoot Jones. E, depois, Richard Baker o levou para a Casa para ver algumas coisas na sala das antiguidades.

— Ele foi para a Casa com Richard Baker. Eles conversaram?

— Acho que sim — disse Victoria. — Quero dizer, não iriam olhar para as coisas em silêncio absoluto, não é?

— Lefarge — murmurou Edward. — Quem é Lefarge? Por que não temos informação alguma sobre ele?

Victoria ansiava por dizer: "é irmão da sra. Harris", mas conteve-se. Estava contente com sua invenção. Podia vê-la agora bem claramente aos olhos de sua imaginação: um homem magro, jovem, de aspecto tuberculoso, com cabelos escuros e um pequeno bigode. Logo, quando Edward perguntou, ela o descreveu cuidadosa e minuciosamente.

Estavam agora rodando pelos subúrbios de Bagdá. Edward dobrou numa travessa de vilas modernas, construídas em estilo pseudoeuropeu, com varandas e jardins em sua volta. Em frente a uma casa, estava parado um grande carro de turismo. Edward parou atrás dele, e Victoria saiu e subiu os degraus que levavam à porta da frente.

Uma mulher magra e morena veio encontrá-los, e Edward falou-lhe rapidamente em francês. O francês de Victoria não era bastante bom para compreender inteiramente o que foi dito, mas parecia que para todos os efeitos aquela era a jovem senhora e que a mudança tinha de ser feita imediatamente.

A mulher voltou-se polidamente para ela e disse em francês:

— Venha comigo, por favor.

Levou Victoria a um dormitório onde, estendido sobre uma cama, estava o hábito de uma freira. A mulher fez-lhe sinal, e Victoria se despiu e vestiu a peça interna de lã dura e as volumosas dobras medievais de fazenda escura. A francesa ajustou a cobertura da cabeça. Victoria teve um vislumbre seu num espelho. Seu rosto pálido e pequeno sob a gigantesca touca (era mesmo uma touca?), com as dobras brancas sob o seu queixo, parecia estranhamente puro e extraterreno. A francesa jogou um rosário de contas de madeira sobre a sua cabeça. Em seguida, arrastando os sapatos rudimentares, grandes demais, Victoria foi levada para fora para encontrar Edward.

— Você parece bem — disse ele aprovadoramente. — Fique de olhos no chão, especialmente quando houver homens por perto.

A francesa juntou-se a eles, alguns momentos mais tarde, vestida da mesma forma. As duas freiras saíram da casa e foram para o carro de turismo que agora tinha um homem alto, escuro, vestido à europeia, no assento do motorista.

— Agora é com você, Victoria — disse Edward. — Faça exatamente o que lhe disserem.

Havia uma ligeira e tensa ameaça por trás das palavras.

— Você não vem, Edward? — Victoria soava implorante. Ele sorriu para ela.

— Você me verá dentro de três dias — disse.

E, em seguida, com uma retomada de seus modos persuasivos, murmurou:

— Não falhe, querida. Somente você pode fazer isso... eu a amo, Victoria. Não ouso ser visto beijando uma freira... mas eu gostaria.

Victoria baixou suas pálpebras da maneira aprovada para freiras, mas, na realidade, para esconder a fúria que aparecia por um momento.

"Terrível Judas", pensou.

Em lugar disso, falou com a retomada de suas maneiras habituais:

— Bem, eu pareço mesmo uma escrava cristã.

— Isso mesmo, pequena! — disse Edward e acrescentou: — Não se incomode, seus papéis estão em perfeita ordem... não vai ter dificuldades na fronteira síria. Seu nome na religião, por falar nisso, é irmã Marie des Anges. Irmã Thérèse, que a acompanha, tem todos os documentos e está encarregada de tudo, e, pelo amor de Deus, obedeça às ordens... ou eu lhe previno, francamente, você estará frita.

Deu um passo para trás, acenou com a mão alegremente e o carro de turismo partiu.

Victoria recostou-se contra as almofadas e entregou-se à contemplação das futuras alternativas possíveis. Ao passar por Bagdá, ou quando chegassem ao controle da fronteira, ela podia agitar-se, gritar por socorro, explicar que estava sendo levada embora contra a sua vontade, de fato, adotar uma ou outra variante de protesto imediato.

O que conseguiria com isso? Com toda a probabilidade, isso significaria o fim de Victoria Jones. Notou que a irmã Thérèse fez escorregar para a manga uma pequena pistola automática de aspecto eficiente. Não lhe seria dada nenhuma oportunidade de falar.

Ou poderia esperar até chegar a Damasco? Fazer seus protestos ali? Possivelmente o mesmo destino lhe seria reservado, ou suas alegações poderiam ser superadas por provas do motorista e de sua companheira. Poderiam apresentar papéis dizendo que ela era mentalmente perturbada.

A melhor alternativa era continuar com as coisas, concordar com o plano. Vir para Bagdá como Anna Scheele e desempenhar o papel de Anna Scheele. Porque, afinal de contas, se ela assim fizesse, chegaria um momento, no clímax final, em que Edward não mais poderia controlar a sua língua ou as suas ações. Se pudesse convencer Edward de que faria qualquer coisa que ele lhe dissesse, então chegaria o momento em que ela estaria de pé diante da conferência, com seus documentos forjados, e Edward não estaria ali.

E ninguém poderia detê-la então ou impedi-la de dizer: "Não sou Anna Scheele e esses papéis são forjados e falsos."

Ela ficou pensando se Edward não temia que ela fizesse exatamente isso. Mas refletiu que a vaidade era uma qualidade estranhamente cegante. A vaidade era o calcanhar de Aquiles. E também havia de se considerar o fato de que Edward e sua gente precisavam de uma Anna Scheele para o sucesso do plano. Encontrar uma moça que se parecesse bastante com Anna Scheele, mesmo até o ponto de ter uma cicatriz no lugar certo, era extremamente difícil. No *Correio de Lyon*, lembrou Victoria, Dubosc e Lesurques apresentavam a coincidência extraordinária de terem uma cicatriz sobre uma sobrancelha e também uma distorção, um por nascimento e o outro por acidente, do dedo mínimo de uma das mãos. Essas coincidências deviam ser muito raras. Não, os super-homens precisavam de Victoria Jones, datilógrafa, e, até esse ponto, Victoria Jones os tinha em seu poder, e não o contrário.

O carro atravessou a ponte em velocidade. Victoria olhou o Tigre com saudade nostálgica. Em seguida, estavam correndo por uma estrada larga, empoeirada. Victoria deixou as contas do rosário passarem pelos seus dedos. Seu estalar era reconfortante.

"No fim das contas", pensou Victoria com súbito conforto, "sou cristã. E quando se é cristão, suponho que é cem vezes melhor ser um mártir do que um rei na Babilônia e, devo dizer, me parece que há uma grande possibilidade de eu me tornar um mártir. Oh! Bem, de qualquer maneira não haverá leões. Eu teria odiado leões!".

Capítulo 23

I

O grande Skymaster desceu do ar e fez uma aterrissagem perfeita. Deslizou suavemente pela pista e logo chegou e parou no lugar designado. Os passageiros foram convidados a descer. Aqueles que seguiam para Basrah foram separados daqueles que iam tomar um avião de conexão para Bagdá.

Havia quatro dos últimos. Um homem de negócios iraquiano, de aspecto próspero, um jovem médico inglês e duas mulheres. Todos passaram pelos vários controles e questionários.

Uma mulher escura, com rosto cansado e cabelos desalinhados mal-amarrados num lenço veio primeiro.

— Sra. Pauncefoot Jones? Inglesa. Sim. Para encontrar seu marido. Seu endereço em Bagdá, por favor? Quanto dinheiro leva?

Continuou. Em seguida, a segunda mulher tomou o lugar da primeira.

— Grete Harden. Sim. Nacionalidade? Dinamarquesa. De Londres. Fim da visita? Massagista num hospital? Endereço em Bagdá? Quanto dinheiro leva?

Grete Harden era uma mulher magra, de cabelos louros, usava óculos escuros e roupas bonitas, mas ligeiramente rotas.

Seu francês era hesitante; ocasionalmente, a pergunta tinha de ser repetida.

Foi dito aos quatro passageiros que o avião para Bagdá sairia na parte da tarde. Seriam levados agora para o hotel Abassid, para um descanso e almoço.

Grete Harden estava sentada em sua cama quando bateram à porta. Abriu-a e encontrou uma moça esbelta e jovem vestindo o uniforme da BOAC.

— Sinto muito, srta. Harden. Poderia vir comigo até o escritório da BOAC? Surgiu uma pequena dificuldade com o seu bilhete. Por aqui, por favor.

Grete Harden seguiu sua guia pelo corredor. Numa porta estava uma grande placa com letras douradas: "Escritório BOAC."

A aeromoça abriu a porta e fez a outra entrar. Em seguida, quando Grete Harden passou, fechou a porta pelo lado de fora e rapidamente desenganchou a placa.

Quando Grete Harden passou pela porta, dois homens que tinham estado atrás dela passaram um pano por sobre sua cabeça. Empurraram uma mordaça para sua boca. Um deles arregaçou sua manga e, tirando uma seringa hipodérmica, aplicou-lhe uma injeção.

Em alguns minutos, seu corpo afrouxou e ficou mole.

O jovem médico disse, contente:

— Isso cuidará dela por cerca de seis horas, de qualquer maneira. Agora, vocês duas, continuem com isso.

Acenou para as duas outras ocupantes do quarto. Eram freiras que estavam sentadas, imóveis, à janela. Os homens saíram do quarto. A mais velha das duas freiras foi até Grete Harden e começou a tirar as roupas de seu corpo inerte. A freira mais moça, tremendo um pouco, começou a tirar seu hábito. Prontamente Grete Harden, vestida com o hábito da freira, estava deitada repousando na cama. A freira mais moça estava vestida agora com as roupas de Grete Harden.

A freira mais velha voltou então suas atenções para os cabelos louros da sua companheira. Olhando para uma fotografia encostada num espelho, penteou e arrumou o cabelo, trazendo-o da testa para trás e fazendo um coque.

Deu um passo atrás e disse em francês:

— É espantoso como isso a deixa diferente. Coloque os óculos escuros. Seus olhos são de um azul profundo demais. Sim, isso é admirável.

Houve uma ligeira batida na porta, e os dois homens entraram novamente. Estavam sorrindo.

— Grete Harden é mesmo Anna Scheele — disse um. — Tinha os papéis na sua bagagem, cuidadosamente camuflados entre as folhas de uma publicação dinamarquesa sobre massagens em hospital. Então, srta. Harden — ele inclinou-se com cerimônia zombeteira para Victoria —, me dará a honra de um almoço?

Victoria seguiu-o para fora do quarto e ao longo do *hall*. A outra passageira estava tentando mandar um telegrama na recepção.

— Não — dizia ela —, P.A.U.N.C.E foot. Dr. Pauncefoot Jones. Chegando hoje hotel Tio. Boa viagem.

Victoria olhou para ela com súbito interesse. Essa devia ser a mulher do dr. Pauncefoot Jones, vindo juntar-se a ele. O fato de isso ocorrer uma semana antes de ela ser esperada não parecia extraordinário a Victoria, já que o dr. Pauncefoot Jones diversas vezes tinha lamentado ter perdido a carta comunicando a data de sua chegada, mas que estava quase certo de que era no dia 26!

Se ao menos ela pudesse mandar uma mensagem por intermédio da sra. Pauncefoot Jones para Richard Baker...

Quase como se tivesse lido seus pensamentos, o homem que a acompanhava a guiou pelos cotovelos para longe do balcão.

— Nenhuma conversa com companheiros de viagem, srta. Harden — disse. — Não queremos que aquela boa mulher note que você é uma pessoa diferente daquela com quem ela veio da Inglaterra.

Levou-a do hotel para um restaurante para almoçar. Quando voltaram, a sra. Pauncefoot Jones estava descendo as escadas do hotel. Acenou para Victoria com suspeita.

— Esteve passeando? — chamou. — Eu estou justamente indo para o Bazaars.

"Se eu pudesse enfiar qualquer coisa em sua bagagem...", pensou Victoria.

Mas não era deixada sozinha por um só momento. O avião para Bagdá saía às três horas.

O assento da sra. Pauncefoot Jones ficava bem na frente. O de Victoria estava na cauda, perto da porta, e, do outro lado da passagem, estava sentado o jovem que era seu carcereiro. Victoria não tinha chance de chegar à outra mulher ou de introduzir uma mensagem em qualquer das suas coisas.

O voo não foi longo. Pela segunda vez, Victoria olhou do ar e viu a cidade esboçada por baixo dela, o Tigre dividindo-a como uma linha de ouro.

Foi assim que ela a vira menos de um mês atrás. Quanta coisa acontecera desde então!

Dentro de dois dias, os homens que representavam as duas ideologias predominantes do mundo iriam se encontrar para discutir o futuro...

E ela, Victoria Jones, teria um papel a desempenhar.

II

— Sabe... — disse Richard Baker — estou preocupado com aquela garota.

O dr. Pauncefoot Jones perguntou, distraído:

— Que garota?

— Victoria.

— Victoria? — O dr. Pauncefoot Jones olhava em volta. — Onde está... ora, valha-me Deus, nós voltamos sem ela ontem.

— Eu estava curioso para saber se você tinha notado — disse Richard.

— Muito descuidado da minha parte. Eu estava tão interessado naquele relatório das escavações em Tell Yameni... Estratificação completamente irregular. Ela não sabia onde encontrar o caminhão?

— Ela não ia mesmo voltar para cá — disse Richard. — Na verdade, ela não é Venetia Savile.

— Não é Venetia Savile? Que estranho! Mas eu pensei que você tivesse dito que seu primeiro nome era Victoria.

— E é. Mas ela não é antropóloga. E não conhece Emerson. Na realidade, a coisa toda foi um... bem... um mal-entendido.

— Céus! Isso parece muito estranho. — O dr. Pauncefoot Jones refletiu por alguns momentos. — Muito estranho. Eu realmente espero... Será que a culpa é minha? Eu sei que sou um tanto distraído. A carta errada, talvez?

— Eu não consigo entender — disse Richard Baker, franzindo a testa e sem prestar atenção às especulações do dr. Pauncefoot Jones. — Ela foi embora num carro, com um jovem, parece, e não voltou mais. Ainda por cima, a bagagem dela estava ali e ela nem se incomodou em abri-la. Isso me parece estranho, considerando o embrulho em que estava metida. Eu pensaria que ela por certo iria se embonecar. E tínhamos combinado nos encontrar para o almoço... Não, não posso compreender isso. Espero que nada lhe tenha acontecido.

— Oh, eu não cogitaria isso — disse o dr. Pauncefoot Jones, confortavelmente. — Vou começar por ir a H. amanhã. Pelo plano geral, parece a melhor chance de encontrar um arquivo. Aquele fragmento de tábua era bastante promissor.

— Eles a raptaram uma vez — disse Richard. — O que os impediria de a raptarem novamente?

— Seria muito improvável... muito improvável — disse o dr. Pauncefoot Jones. — O país está realmente bastante calmo agora. Você mesmo o disse.

— Se ao menos pudesse me lembrar do nome daquele homem em alguma companhia de petróleo. Era Deacom? Deacon, Dakin? Qualquer coisa do tipo.

— Nunca ouvi falar dele — disse o dr. Pauncefoot Jones. — Acho que vou deslocar Mustafá e sua turma para o canto nordeste. Em seguida, poderemos estender a trincheira J...

— O senhor se importaria muito, senhor, se eu fosse amanhã novamente para Bagdá?

O dr. Pauncefoot Jones, subitamente dando toda a atenção ao colega, olhou-o:

— Amanhã? Mas estivemos lá ontem.

— Estou preocupado com aquela moça. Realmente estou.

— Ora, ora, Richard, eu não tinha ideia de que havia algo dessa espécie.

— Que espécie?

— Que você tinha algum interesse afetivo. É o pior em se ter mulheres numa escavação... especialmente as bonitas. Eu, na realidade, pensei que estávamos seguros com Sybil Muirfield no ano retrasado, realmente uma pequena desesperadamente desinteressante... e veja no que deu! Eu devia ter dado ouvidos a Claude em Londres... Esses franceses sempre acertam no alvo. Ele comentou sobre as pernas dela na ocasião... estava extremamente entusiasmado com ela. Victoria, Venetia, naturalmente, seja qual for o seu nome... é extremamente atraente e uma coisinha tão linda... Você tem bom gosto, Richard, vou admitir isso. Engraçado, é a primeira pequena que conheço que lhe interessou.

— Não é nada disso — disse Richard, corando e parecendo ainda mais pedante que de costume. — Eu apenas... hã... estou preocupado com ela. Tenho de ir a Bagdá.

— Bem, se você vai amanhã — disse o dr. Pauncefoot Jones —, pode trazer aquelas picaretas extras. Aquele idiota do motorista as esqueceu.

Richard começou a viagem para Bagdá cedo, ao crepúsculo, e foi direto para o hotel Tio. Ali soube que Victoria não tinha voltado.

— E estava tudo arranjado: ela teria um jantar especial comigo — disse Marcus. — E reservei um quarto muito bom para ela. É estranho, não é?

— Você foi à polícia?

— Ah, não, meu caro, isso não seria bonito. Ela poderia não gostar. E certamente eu não gostaria.

Depois de uma pequena indagação, Richard descobriu o sr. Dakin e visitou-o no seu escritório.

Sua lembrança do homem não o tinha enganado. Olhou para a figura dobrada, a face indecisa e o ligeiro tremor das mãos. Esse homem não prestava! Pediu desculpas ao sr. Dakin por fazê-lo perder tempo, mas será que ele tinha visto a srta. Victoria Jones?

— Ela me procurou anteontem.

— Pode me dar o endereço atual dela?

— Está no hotel Tio, acredito.

— A bagagem dela está lá, mas ela não.

O sr. Dakin levantou as sobrancelhas ligeiramente.

— Ela estava trabalhando conosco nas escavações em Tell Aswad — explicou Richard.

— Oh, estou vendo. Bem... temo não saber de nada que possa ajudá-lo. Ela tem diversos amigos em Bagdá, acredito... mas não a conheço bastante para dizer quem são.

— Será que ela estaria no Ramo de Oliveira?

— Não acredito. Você poderia perguntar.

Richard disse:

— Olhe aqui, não vou sair de Bagdá até que a encontre. — Franziu a testa zangado para o sr. Dakin e saiu do quarto.

O sr. Dakin, quando a porta se fechou atrás de Richard, sorriu e sacudiu a cabeça.

— Oh, Victoria — murmurou em tom de repreensão.

Espumando de raiva ao entrar no hotel Tio, Richard deparou com um Marcus sorridente.

— Ela voltou — gritou Marcus ansiosamente.

— Não, não, é a sra. Pauncefoot Jones. Ela acaba de chegar de avião. O dr. Pauncefoot Jones me disse que ela viria na próxima semana.

— Ele sempre se engana nas datas. Mas, e a respeito de Victoria Jones?

O rosto de Marcus se tornou grave novamente.

— Nada. Não ouvi nada dela. E não gosto disso, sr. Baker. Não é bonito. Ela é uma moça tão jovem. E tão bonita. E tão alegre e encantadora.

— Sim, sim — disse Richard, fazendo uma careta. — É melhor eu subir e ver a sra. Pauncefoot Jones. Qual é o número dela?

— Está no 19.

Com um passo pesado, Richard subiu a escada.

III

— Você! — exclamou Victoria com hostilidade indisfarçada.

Levada ao seu quarto no hotel Babylonian Palace, a primeira pessoa que viu foi Catarina.

Catarina sacudiu a cabeça com veneno igual.

— Sim — disse ela. — Sou. E agora, por favor, vá para a cama. O médico logo estará aqui.

Catarina estava vestida como enfermeira de hospital e levava os seus deveres a sério, estando obviamente bem determinada a não sair do lado de Victoria. Esta, deitada desconsolada na cama, murmurava:

— Se eu pudesse falar com Edward...

— Edward, Edward! — disse Catarina depreciativamente. — Edward nunca se importou com você, sua inglesa estúpida. É a mim que Edward ama.

Victoria olhou o rosto emburrado e fanático de Catarina sem entusiasmo.

Catarina continuou:

— Sempre odiei você desde aquela primeira manhã em que você entrou e pediu para falar com o dr. Rathbone com tanta rudeza.

Procurando um tom irritante, Victoria disse:

— De qualquer forma, eu sou muito mais indispensável do que você. Qualquer um podia fazer o seu número de enfermeira de hospital. Mas a coisa toda depende de eu fazer o meu.

Catarina disse com empertigada fatuidade:

— Ninguém é indispensável. Ensinam-nos isso.

— Bem, eu sou. Pelo amor de Deus, mande vir um jantar substancial. Se eu não comer alguma coisa, como quer que eu faça uma boa interpretação da secretária de um banqueiro americano quando chegar a hora?

— Suponho que você poderá comer bem enquanto pode — disse Catarina de má vontade.

Victoria não tomou conhecimento de sua sinistra implicação.

IV

O capitão Crosbie disse:

— Compreendo que você tenha aí uma srta. Harden, recém-chegada.

O cavalheiro, suave, no escritório do Babylonian Palace, inclinou sua cabeça:

— Sim, senhor. Da Inglaterra.

— Ela é amiga da minha irmã. Quer levar meu cartão para ela?

Com um lápis, escreveu algumas palavras no cartão e mandou-o num envelope.

Logo o rapaz que tinha levado o envelope voltou.

— A senhorita não está passando bem. Garganta muito ruim. O médico vem logo. Ela está com uma enfermeira.

Crosbie voltou-se e saiu. Foi andando para o Tio, onde foi abordado por Marcus.

— Ah, meu caro, vamos tomar um trago. Esta noite meu hotel está bem cheio. É para a conferência. Mas, que pena!, o dr. Pauncefoot Jones voltou para sua expedição anteontem e agora aqui está sua mulher, à espera dele para recebê-la. E ela não está contente, não! Assegura ter lhe dito que estava vindo neste avião. Mas sabe como ele é, aquele... Cada data, cada hora... ele sempre lembra tudo errado. Mas é um homem muito bom — concluiu Marcus com a sua costumeira caridade. — E tive que acomodá-la de qualquer jeito... fiz sair um homem muito importante da ONU...

— Bagdá parece completamente maluca.

— Mobilizaram toda a polícia... estão tomando grandes precauções... dizem... você ouviu? Há uma conspiração para assassinar o presidente. Prenderam 65 estudantes! Suspeitam de qualquer pessoa. Mas tudo isso é muito bom para o negócio... muito bom mesmo.

V

A campainha do telefone tocou e foi prontamente respondida.

— Embaixada dos E.U.A.

— Aqui é do hotel Babylonian Palace. A srta. Anna Scheele está hospedada aqui.

— Anna Scheele? — logo um dos adidos estava falando. — A srta. Scheele poderia vir ao telefone?

— A srta. Scheele está doente, de cama, com laringite. Aqui fala o dr. Smallbrook. Estou tratando da srta. Scheele. Ela tem uns papéis importantes consigo e gostaria que alguma pessoa de responsabilidade da embaixada viesse e os apanhasse. Imediatamente? Obrigado. Estarei à sua espera.

VI

Victoria voltou-se para o espelho. Estava vestindo um *tailleur* feito sob medida. Cada fio do cabelo louro estava no lugar. Ela se sentiu nervosa, mas extasiada.

Ao se voltar, percebeu o brilho exultante nos olhos de Catarina e subitamente ficou em guarda. Por que Catarina estava exultante? O que estava acontecendo?

— Por que você está tão alegre? — perguntou.

— Vai ver logo.

A malícia estava bem indisfarçada agora.

— Você pensa que é muito inteligente — disse Catarina raivosamente. — Acha que tudo depende de você. Bah, você é apenas uma boba.

Com um pulo, Victoria estava sobre ela! Agarrou-a pelo ombro e cravou os dedos.

— Diga-me o que você quer dizer, sua garota horrível.

— Ai, você está me machucando.

— Conte-me...

Uma batida na porta. Uma batida repetida duas vezes e, depois de uma pausa, uma isolada.

— Agora você vai ver! — exclamou Catarina.

A porta se abriu, e um homem entrou. Era um homem alto, vestindo o uniforme da Polícia Internacional. Fechou a porta atrás de si e tirou a chave. Em seguida, avançou para Victoria.

— Rápido — disse.

Tirou um pedaço de corda fina do bolso e, com a integral cooperação de Catarina, amarrou Victoria numa cadeira. Em seguida, tirou um lenço e amordaçou-a. Deu um passo para trás e acenou apreciativamente com a cabeça.

— Isso... está ótimo.

Em seguida, voltou-se para Victoria. Ela viu o pesado cassetete que ele estava agitando e, num momento, relampagueou pelo seu cérebro qual era o plano real. Nunca tinham cogitado que ela fizesse o papel de Anna Scheele na conferência. Como poderiam eles arriscar uma coisa assim? Victoria era conhecida demais em Bagdá. Não, o plano foi, sempre tinha sido, que Anna Scheele seria atacada e morta no último momento... morta de uma maneira tal que as suas feições não ficassem reconhecíveis demais. Apenas os papéis que tinha trazido consigo, aqueles papéis cuidadosamente falsificados, permaneceriam.

Victoria voltou-se para a janela e gritou. E com um sorriso o homem avançou para ela...

Em seguida, diversas coisas aconteceram, houve um barulho de vidro quebrado, uma mão pesada a fez cair ao comprido, ela viu estrelas, e escuridão... depois da escuridão, uma voz falou, uma voz inglesa reconfortadora:

— Está se sentindo bem, senhorita?

Victoria murmurou alguma coisa.

— Que foi que ela disse? — perguntou uma segunda voz. O primeiro homem coçou a cabeça.

— Disse que era melhor servir no céu do que reinar no inferno — respondeu duvidosamente.

— Isso é uma citação — disse o outro. — Mas está errada.

— Não, não está — disse Victoria e desmaiou.

VII

O telefone tocou e Dakin apanhou o fone. Uma voz disse:

— Operação Victoria concluída a contento.

— Bom — disse Dakin.

— Temos Catarina Serakis e o médico. O outro sujeito se jogou do balcão. Está ferido mortalmente.

— A pequena não está ferida?

— Desmaiou, mas está o.k.

— Ainda sem novidades sobre A.S.?

— Nenhuma novidade.

Dakin depôs o fone. "A verdadeira Anna", pensou ele, "devia estar morta... Ela tinha insistido em fazer tudo sozinha, tinha reiterado que estaria em Bagdá sem falta no dia 19. Hoje era 19 e não havia Anna Scheele. Talvez ela estivesse certa em não confiar no arranjo oficial"; ele não sabia. "Certamente tinha havido vazamentos, traições. Mas, aparentemente, a sua inteligência inata não lhe tinha servido melhor..."

E sem Anna Scheele as provas eram incompletas.

Um mensageiro entrou com um pedaço de papel sobre o qual estava escrito:

Sr. Richard Baker e sra. Pauncefoot Jones.

— Não posso ver ninguém agora — disse Dakin. — Diga-lhes que sinto muito. Estou ocupado.

O mensageiro retirou-se, mas logo reapareceu. Entregou uma nota:

Quero lhe falar sobre Henry Carmichael. R.B.

— Mande-o entrar — disse Dakin.

Em seguida, Richard Baker e a sra. Pauncefoot entraram. Richard Baker disse:

— Não quero tomar o seu tempo, mas estudei com um homem chamado Henry Carmichael. Perdemo-nos de vista por muitos anos, mas, quando estive em Basrah há algumas semanas, eu o encontrei na sala de espera do consulado. Estava vestido como um árabe e, sem dar qualquer sinal exterior de reconhecimento, conseguiu comunicar-se comigo. Isso lhe interessa?

— Interessa-me muito — disse Dakin.

— Percebi que Carmichael se julgava em perigo. Isso foi logo confirmado. Ele foi alvejado por um homem, mas consegui desviar para cima o projétil. Carmichael escapuliu, mas, antes de ir, escorregou algo para meu bolso, onde foi encontrado mais tarde... Não parecia importante: parecia ser apenas um *papel*... uma referência para um tal de Ahme Mohammed. Mas eu agi na suposição de que para Carmichael era importante. Já que ele não tinha me dado instruções, conservei o papel cuidadosamente, acreditando que um dia o reclamaria. No outro dia, soube por Victoria Jones que ele estava morto. De outras coisas que ela me contou cheguei à conclusão de que o senhor é a pessoa indicada para receber isso.

Levantou-se e colocou um pedaço de papel sujo na escrivaninha de Dakin.

— Isso significa algo para você?

Dakin deu um profundo suspiro.

— Sim — disse ele. — Significa mais do que você possivelmente possa imaginar.

Levantou-se.

— Estou-lhe profundamente agradecido, sr. Baker — disse.

— Perdoe-me por abreviar esta entrevista, mas há um monte de coisas de que preciso tratar sem perder um minuto.

Apertou as mãos da sra. Pauncefoot Jones, dizendo:

— Suponho que esteja se juntando ao seu marido na escavação. Espero que tenham uma boa temporada.

— É ótimo que o sr. Pauncefoot Jones não tenha vindo comigo para Bagdá esta manhã — disse Richard. — O querido velho John Pauncefoot Jones não nota muito do que se passa à sua volta, mas provavelmente notaria a diferença entre a sua mulher e a irmã de sua mulher.

Dakin olhou com ligeira surpresa para a sra. Pauncefoot Jones. Ela disse numa voz baixa e agradável:

— A minha irmã Elsie ainda está na Inglaterra. Eu tingi meu cabelo e vim para cá com o passaporte dela. O nome de solteira da minha irmã era Elsie Scheele. *Meu nome, sr. Dakin, é Anna Scheele.*

Capítulo 24

Bagdá estava transformada. A polícia tarjava as ruas, polícia convocada de fora, a Polícia Internacional. A polícia russa e a americana se encontravam lado a lado, com seus rostos impassíveis.

A todo instante, surgiam boatos, nenhum dos figurões estaria vindo! Por duas vezes, o avião russo, devidamente escoltado, aterrissou, mas trazia apenas um jovem piloto!

Finalmente, porém, começaram a circular notícias de que tudo corria bem. O presidente dos Estados Unidos e o ditador russo já estavam em Bagdá. Estavam no Regent's Palace.

A conferência histórica tinha enfim começado.

Numa pequena antessala, certos acontecimentos que bem poderiam alterar o curso da história estavam se desenrolando. Como a maioria dos acontecimentos sérios, os trâmites não eram nada dramáticos.

O doutor Alan Breck, do Instituto Atômico Harwell, contribuiu com a sua quota de informações numa vozinha baixa, mas precisa.

Certos espécimes tinham sido deixados com ele para análise pelo finado Sir Rupert Crofton Lee. Eles tinham sido colhidos no decorrer de uma das viagens de Sir Rupert pela China e pelo Turquestão, atravessando o Curdistão para o Iraque. A evidência do dr. Baker, em seguida, tornou-se severamente técnica. Minérios metálicos... alto teor de urânio... Fonte do depósito não conhecida exatamente, já que Sir Rupert teve suas notas e diários destruídos durante a guerra por ação inimiga.

Em seguida, o dr. Dakin continuou a história. Numa voz gentilmente cansada, contou a saga de Henry Carmichael, de sua crença em certos rumores e histórias malucas de vastas instalações e laboratórios subterrâneos funcionando num vale remoto além das fronteiras da civilização. De sua procura e do êxito da sua procura.

Do grande homem, viajante, Sir Rupert Crofton Lee, o homem que tinha acreditado em Carmichael por causa de seu conhecimento daquelas regiões, tinha consentido em vir para Bagdá, e de como ele tinha morrido. E como Carmichael mesmo tinha encontrado sua própria morte nas mãos do personificador de Sir Rupert.

— Sir Rupert está morto, e Henry Carmichael está morto. Mas há uma terceira testemunha que está viva e que hoje se encontra aqui. Chamarei a srta. Anna Scheele para nos dar seu testemunho.

Anna Scheele, tão calma e composta como se estivesse no escritório do sr. Morganthal, deu listas de nomes e números. Das profundezas daquele seu notável cérebro financeiro, esboçou a vasta rede financeira que tinha drenado dinheiro de circulação e investido no financiamento de atividades que deveriam tender a dividir o mundo civilizado em duas facções opostas. Não era uma mera afirmação. Produziu fatos e números para apoiar a sua alegação. Àqueles que a escutaram ela levava uma convicção que ainda não se encaixava integralmente com a estranha história de Carmichael.

Dakin falou de novo.

— Henry Carmichael está morto — disse ele. — Mas trouxe consigo daquela viagem perigosa provas tangíveis e definidas. Não ousava ficar com essas provas... seus inimigos estavam nos seus calcanhares, perto demais. Mas era um homem de muitos amigos. Pelas mãos de dois desses amigos, ele mandou as provas à salvaguarda de outro amigo, um homem a quem todo o Iraque reverencia e respeita. Ele cortesmente consentiu em vir para cá hoje. Refiro-me ao xeque Hussein el Ziyara de Kerbela.

O xeque Hussein era renomado, como Dakin tinha dito, em todo o mundo muçulmano, tanto como um homem santo quanto como poeta. Por muitos, era considerado um santo. Levantou-se agora uma figura imponente com sua barba tingida de castanho profundo. Sua jaqueta cinza com alamares de ouro era coberta por um manto esvoaçante de delicadeza de teia de aranha. Em volta de sua cabeça, usava uma coberta de pano verde, amarrada com muitos fios de *agal* de ouro pesados que lhe davam uma aparência patriarcal. Falou numa voz profunda e sonora:

— Henry Carmichael era meu amigo — disse. — Eu o conheci menino, e ele estudou comigo os versos dos nossos grandes poetas. Dois homens vieram a Kerbela, homens que viajam pelo país com um espetáculo de cinema. São homens simples, mas bons seguidores do Profeta. Trouxeram-me um pacote que disseram que lhes havia sido dado para entregar em minhas mãos, da parte de meu amigo, o inglês Carmichael. Eu deveria guardá-lo em segredo e em segurança, e entregá-lo apenas ao próprio Carmichael ou a um mensageiro que deveria repetir certas palavras.

Dakin disse:

— Sayyd, o poeta árabe Mutanabbi, chamado às vezes o Pretendente à Profecia, que viveu há exatamente mil anos, escreveu uma ode ao príncipe Sayfu 'l-Dawla em Alepo, na qual se encontram estas palavras: *Zid Hashshi bashshi tafaddal adni surra sili.*[8]

Com um sorriso, o xeque Hussein el Ziyara estendeu um pacote a Dakin.

— Digo, como disse o príncipe Sayfu 'l-Dawla: "Terás o teu desejo..."

— Senhores — disse Dakin. — Estes são microfilmes trazidos por Henry Carmichael como prova de sua história...

Mais uma testemunha falou; uma figura alquebrada e trágica: um velho com uma cabeça abaulada que, em tempos, tinha sido universalmente admirado e respeitado.

Falou com dignidade trágica:

8 Aumentai, ride, regozijai-vos, aproximai-vos, mostrai boa-vontade, alegrai-vos, dai!

— Cavalheiros — disse. — Em breve, serei denunciado como um trapaceiro comum. Mas há algumas coisas que, mesmo eu, não posso sancionar. Existe um bando de homens, na maioria jovens, tão maldosos em seus corações e finalidades que a verdade dificilmente poderia ser acreditada.

Ele ergueu a cabeça e urrou:

— Anticristo! Eu digo que essa coisa deve ser impedida! Temos de ter paz... paz para nos recuperarmos e fazermos um novo mundo... e, para isso, temos que nos compreender uns aos outros. Eu comecei uma vigarice para ganhar dinheiro... sim, mas por Deus, acabei por acreditar naquilo que eu prego, embora não defenda os métodos que usei. Pelo amor de Deus, cavalheiros, vamos começar de novo e experimentar nos unir...

Houve um momento de silêncio e, em seguida, uma vozinha oficial fina com a impessoalidade exangue da burocracia disse:

— Estes fatos serão apresentados em seguida diante do presidente dos Estados Unidos e do primeiro-ministro da União das Repúblicas Socialistas Soviéticas...

Capítulo 25

— O que me incomoda — disse Victoria — é aquela pobre mulher dinamarquesa que foi morta por engano em Damasco.

— Oh! Ela está muito bem — disse o sr. Dakin alegremente. — Logo que seu avião levantou voo, nós prendemos a francesa e levamos Grete Harden para o hospital. Ela voltou a si direitinho. Eles a teriam deixado dopada por algum tempo até que estivessem certos de que o negócio de Bagdá saísse direito. Era uma das nossas, naturalmente.

— Era?

— Sim, quando Anna Scheele desapareceu, pensamos que ficaria bem se déssemos ao outro lado alguma coisa para pensar. De modo que reservamos uma passagem para Grete Harden e, cuidadosamente, não lhe demos um passado. Caíram nessa: chegaram à conclusão de que Grete Harden tinha de ser Anna Scheele. Demos-lhe um lindo jogo de papéis falsificados para prová-lo.

— Enquanto a verdadeira Anna Scheele ficou calmamente na casa de saúde até que fosse tempo de a sra. Pauncefoot Jones se reunir ao seu marido lá fora.

— Sim. Simples, mas eficiente. Agindo na pressuposição de que, em tempos de aperto, as únicas pessoas nas quais realmente se pode confiar são as da nossa própria família. É uma jovem extremamente esperta.

— Eu realmente pensei que estivesse liquidada — disse Victoria. — A sua gente realmente me acompanhou o tempo todo?

— O tempo todo. Seu Edward não era realmente tão esperto como ele mesmo se julgava, sabe? Na verdade, tínhamos estado investigando as atividades do jovem Edward Goring por algum tempo. Quando você me contou a sua história, na noite em que Carmichael foi morto, eu fiquei francamente preocupado com você.

"A melhor coisa em que eu podia pensar era incluí-la deliberadamente na história como uma espiã. Se o seu Edward soubesse que você estava em contato comigo, você estaria relativamente segura, pois ele saberia por seu intermédio o que estávamos planejando. Você seria preciosa demais para morrer. E, assim, ele poderia passar para nós informações falsas por seu intermédio. Você era um elo. Mas, em seguida, você percebeu a personificação de Rupert Crofton Lee, e Edward decidiu que seria melhor afastá-la até que precisassem de você (se você fosse necessária) para a personificação de Anna Scheele. Sim, Victoria, você tem muita sorte de estar sentada onde está, comendo todo esse pistache.

— Eu sei.

O sr. Dakin disse:

— Que importância tem Edward para você?

Victoria olhou-o fixamente.

— Nenhuma. Eu apenas fui uma burrinha muito idiota. Deixei que Edward me apanhasse e fizesse seu número de encantamento. Eu simplesmente senti por ele uma paixão de menina de escola... imaginando-me Julieta e toda espécie de coisas bobas.

— Não precisa se culpar demais. Edward tinha um maravilhoso dom natural para atrair mulheres.

— Sim, e ele o usou.

— Certamente.

— Da próxima vez que eu me apaixonar — disse Victoria — não será a aparência que me atrairá, nem o encanto. Vou querer um homem verdadeiro... não um que me diga coisas bonitas. Não vou me importar se ele for careca ou se usar óculos, ou qualquer coisa assim. Quero que ele seja interessante... e conheça coisas interessantes.

— Com uns 35 ou uns 55? — perguntou o sr. Dakin.

Victoria olhou.

— Oh, 35 — disse.

— Estou aliviado. Pensei por um momento que estava se declarando a mim.

Victoria riu.

— E... eu sei que não devo fazer perguntas... mas havia realmente uma mensagem tricotada na echarpe?

— Havia um nome. As *tricoteuses*, dentre as quais Madame Defarge, tricotaram um registro de nomes. A echarpe e o papel eram as duas metades da pista. Uma nos deu o nome do xeque Hussein el Ziyra de Kerbela. A outra, quando tratada com vapor de iodo, deu-nos as palavras para induzir o xeque a separar-se do que lhe havia sido confiado. Não podia ter havido um lugar mais seguro para esconder a coisa do que a cidade sagrada de Kerbela, sabe?

— E isso foi levado pelo país por esses dois homens do cinema ambulante... os mesmos que nós encontramos?

— Sim. Simples figuras bem conhecidas. Nada político a respeito delas. Apenas amigos pessoais de Carmichael. Ele tinha um monte de amigos.

— Ele deve ter sido muito simpático. Sinto que esteja morto.

— Todos nós temos de morrer um dia — disse o sr. Dakin. — E, se houver outra vida depois desta, coisa em que acredito integralmente, ele terá a satisfação de saber que a sua crença e coragem fizeram mais para salvar este velho mundo triste de outro ataque de sangrias e miséria do que se poderia imaginar.

— Estranho, não é? — disse Victoria meditativamente. — Que Richard tenha tido uma metade do segredo e eu a outra. Parece até que...

— Que foi o destino — terminou o sr. Dakin com uma piscadela. — E que vai fazer agora, posso perguntar?

— Eu terei de encontrar um emprego — disse Victoria. — Tenho de começar a procurar.

— Não procure demais — disse o sr. Dakin. — Penso que um emprego esteja vindo ao seu encontro.

Afastou-se suavemente para dar lugar a Richard Baker.

— Olhe aqui, Victoria — disse Richard. — Venetia Savile, afinal de contas, não pôde vir. Aparentemente ficou com caxumba. Você foi bastante útil na escavação. Você gostaria de voltar? Apenas o seu sustento, pelo que temo. E provavelmente a sua passagem de volta para a Inglaterra... mas vamos falar nisso mais tarde. A sra. Pauncefoot Jones virá na semana que vem. Bem, o que você diz?

— Oh, você realmente me quer? — disse Victoria.

Por alguma razão, Richard Baker ficou com o rosto todo cor-de-rosa. Tossiu e pediu seu *pince-nez*.

— Penso — disse ele — que nós a poderemos achar... hã... bastante útil.

— Eu adoraria — disse Victoria.

— Nesse caso — disse Richard — é melhor recolher sua bagagem e voltar para a escavação. Não quer ficar perambulando por Bagdá, ou quer?

— Nem um pouco — disse Victoria.

— Então, aí está você, minha querida Verônica — disse o dr. Pauncefoot Jones. Richard partiu com grande estardalhaço atrás de você. Bem, bem... espero que vocês dois sejam muito felizes.

— O que ele quer dizer? — perguntou Victoria perplexa, enquanto o dr. Pauncefoot Jones zaranzava embora.

— Nada — disse Richard. — Você sabe como ele é. Está sendo apenas um pouco... prematuro.